découvrez
LE MONDE
MERVEILLEUX
de la
PHOTOGRAPHIE

Couverture
- Illustration et maquette:
GAÉTAN FORCILLO

Maquette intérieure
- Conception graphique:
GAÉTAN FORCILLO
- Révision:
MARIE-CLAUDE FAUBERT
GILLES PÉLOQUIN

- Supervision:
HUGUETTE LOISELLE

DISTRIBUTEURS EXCLUSIFS:

- Pour le Canada:
AGENCE DE DISTRIBUTION POPULAIRE INC.*
955, rue Amherst, Montréal H2L 3K4 (tél.: 514-523-1182)
*Filiale de Sogides Ltée

- Pour la France et l'Afrique:
INTER-FORUM
13, rue de la Glacière, 75013 Paris (tél.: 570-1180)

- Pour la Belgique, la Suisse, le Portugal, les pays de l'Est:
S.A. VANDER
Avenue des Volontaires 321, 1150 Bruxelles (tél.: 02-762-0662)

découvrez LE MONDE MERVEILLEUX de la PHOTOGRAPHIE

Sous la direction d'Antoine Desilets

Photos des auteurs

*LES ÉDITIONS DE L'HOMME**

CANADA: 955, rue Amherst, Montréal H2L 3K4

*Division de Sogides Ltée

Bibliothèque nationale du Québec
Dépôt légal — 2e trimestre 1980

ISBN 2-7619-0084-7

Auteurs des textes

Remerciements

— Au président de l'Association "Les photographes professionnels du Québec Inc.", M. Alain Michon.

— À notre journaliste rédactrice/traductrice Noëlla Lessard Vaille, sans qui il aurait été impossible de mener à bien cette entreprise.

Introduction

En apercevant cet ouvrage sur les tablettes du libraire, vous vous serez sûrement dit: "Encore un livre sur la photographie!" Pourtant, cette publication se veut originale, abordant un sujet nouveau et rarement exploité par la littérature photographique. Très peu technique ou théorique, sans grandes formules optiques, chimiques ou physiques, ce livre se veut être avant tout "pratique". Dans le but de mieux renseigner les photographes amateurs qui, demain, prendront la relève, nous avons fait appel à une vingtaine de différents spécialistes en photographie, avec l'intention bien simple de les faire parler de leur métier. Tous ont accepté, sans hésitation, de collaborer au projet. Pour certains, l'expérience se sera révélée un peu plus laborieuse, les entraînant dans une sorte d'exercice d'introspection auquel ils n'étaient ni préparés, ni habitués; d'autres ont même décidé, en cours de route, de modifier la formule et de recourir à l'interview, au lieu de rédiger directement leur texte.

Le présent ouvrage est donc le fruit de la collaboration de photographes oeuvrant dans différents secteurs. Écrit dans un langage simple, clair et direct, il a été conçu dans le but de faire connaître au public en général différentes spécialisations photographiques; il s'adresse également à tous ceux qui ont décidé d'orienter leurs activités professionnelles vers la photographie. Le livre répondra, nous l'espérons, à plusieurs de leurs interrogations et peut-être contribuera-t-il à préciser leur choix.

Qu'il me soit permis enfin de remercier les auteurs pour la collaboration et l'intérêt qu'ils ont apportés à la réalisation de cet ouvrage. Nous espérons que les lecteurs en tireront les plus grands profits.

Antoine Desilets

Le généraliste

par Alain Michon

Au Québec, la majorité des studios de photographie sont conçus pour répondre aux besoins très diversifiés de la clientèle du milieu qu'ils desservent. Ainsi, le généraliste doit pouvoir effectuer des travaux aussi variés qu'un reportage dans une usine, des photos de mariage ou de finissants, un portrait en studio, des photographies commerciales, d'architecture, de relation publique, des photos scolaires, etc. En général, ces studios s'occupent aussi de la vente de matériel photographique, du développement des films et de la finition des photos et ils servent de conseillers aux amateurs des environs.

Lorsque vous rencontrez ces photographes, ils prennent plaisir à vous entretenir des joies que leur procure leur travail. Ils sont heureux et avec raison: jamais de routine, beaucoup de diversité. Une journée de portrait en studio. Le lendemain, des photos extérieures d'immeubles. En soirée, une assignation pour un groupe d'hommes d'affaires. Le surlendemain, des photographies industrielles à l'intérieur d'une usine et des photos sur la progression des travaux dans un chantier. Le jour suivant pourrait fort bien être consacré au développement des films et au tirage des épreuves ou à des prises de vue en studio. Ajoutez à cette semaine déjà remplie un vendredi soir et un samedi de mariages. Voilà de quoi satisfaire les gens les plus actifs!

Si nous demandions aux photographes professionnels du Québec leurs curriculum vitae, nous aurions, à la rubrique "Formation académique", une liste variée d'écoles et d'institutions dont plusieurs n'auraient que peu à voir avec la photographie proprement dite, mais qui nous fournirait pourtant un éventail à peu près complet des voies plus ou moins détournées par lesquelles il est possible de passer pour devenir un professionnel de la photo.

Il faut bien admettre que nous ne sommes pas des plus favorisés au Québec en ce qui a trait à l'enseignement de la photographie. Depuis 1969, le *cégep du Vieux Montréal* offre un cours de trois ans auquel les amateurs s'inscrivent en nombre toujours croissant. Des cours d'initiation à la photographie sont donnés par quelques autres cégeps et par certaines écoles polyvalentes; ils font partie d'un programme de formation personnelle ou d'activités parascolaires. L'*Université du Québec* et l'*Université de Montréal,* dans le cadre d'un cours en publicité et en communication, offrent un enseignement d'appui aux élèves inscrits. Quelques écoles privées ont mis sur pied un programme de cours variés, allant de l'initiation aux spécialisations, en passant par la prise de vue et les techniques de laboratoire.

Nous avons un grand pas à faire pour arriver à un enseignement spécialisé en photographie qui soit de niveau universitaire. Nous ne pouvons rivaliser avec le *collège Ryerson* à Toronto, ou le *Rochester Institute of Photography,* dans l'état de New York entre autres. L'enseignement de la photographie est encore limité au niveau secondaire et collégial, un seul cégep étant reconnu officiellement dans le domaine. D'autres collèges tentent d'introduire chez eux des cours de photographie, mais sans succès. Certains offrent des cours de différents niveaux qui ne sont cependant disponibles que le soir, dans le cadre du programme de l'éducation aux adultes.

Malgré les carences de la formation officielle, il est quand même possible de devenir photographe professionnel au Québec. La preuve en est que non seulement nous arrivons à combler nos besoins en ce domaine, mais qu'en plus le marché a plutôt tendance à être encombré. En fait, plusieurs photographes au Québec, surtout chez les généralistes, ont complété leur apprentissage en travaillant avec d'autres professionnels, après avoir acquis leur formation de base par eux-mêmes ou en fréquentant les quelques rares institutions qui donnaient des cours de photographie. Cette méthode a ses avantages et ses inconvénients. La formation pratique que l'on acquiert ainsi correspond nécessairement aux besoins du marché du travail et elle est parfaitement adaptée aux conditions dans lesquelles s'exerce la profession. Par contre, elle permet rarement d'acquérir des connaissances sur l'ensemble des techniques et des spécialités de la photo. Idéalement, il faudrait combiner les deux... ou faire son apprentissage avec un généraliste!

Malheureusement, plusieurs d'entre eux n'ont pas les moyens de payer des apprentis à plein temps. Ils emploient des assistants dans des circonstances exceptionnelles ou pour certains travaux déterminés. La solution serait peut-être de travailler pour plusieurs photographes dans des spécialités différentes, mais cela peut être assez compliqué à réaliser.

Pourtant, si vous voulez devenir un jour photographe généraliste, il est essentiel de connaître presque toutes les spécialités de la photo car souvent dans ce métier, il faut "prendre ce qui passe" et, par conséquent, savoir être en mesure de faire n'importe quel travail, et de le faire avec compétence. Je ne veux pourtant pas désespérer personne. Devenir un bon généraliste demande du travail et de la persévérance, mais cela est tout de même à la portée de beaucoup de gens, puisque la majorité des photographes du Québec pratique cette "spécialité"... qui a pour caractéristique première d'en être l'antithèse!

Sa formation

Personne, on s'en doute, ne devient du jour au lendemain photographe professionnel. Généralement, un amateur sérieux aura suivi des cours de base et des cours de perfectionnement, il aura obtenu un diplôme de niveau collégial ou acquis une certaine expérience en travaillant dans quelques studios. Il continuera à perfectionner sa technique et ses connaissances en participant à différents séminaires et congrès de photographes professionnels; il s'inscrira à des sessions d'information organisées par les compagnies d'équipement photographique ou par l'association "Les photographes professionnels du Québec Inc.". Cette association donne des cours dans les différentes spécialisations de la photographie et organise des congrès, des séminaires, des conférences, des expositions et des rencontres. Il est donc possible aux photographes d'approfondir et de renouveler leurs connaissances dans les différents domaines de la profession. De plus, l'association a mis sur pied, à l'*Université de Sherbrooke,* un programme d'éducation permanente appelé PHOTIQUE qui consiste en 4 jours intensifs de cours spécialisés.

D'autres séminaires sont offerts par des compagnies photographiques désirant informer les photographes et les consommateurs des avantages de leurs produits. Des laboratoires professionnels organisent de leur côté des conférences et des séminaires auxquels les photographes sont invités. Il faut aussi mentionner les associations "Professional Photographers of Canada" (P.P.O.C.) et "Professional Photographers of America" (P.P.O.A.) qui offrent des cours de perfectionnement aux photographes professionnels. Il existe donc malgré tout une excellente chaîne de formation pour le professionnel. Celui-ci n'a par ailleurs aucune excuse pour ne pas se recycler.

S'il est important pour le photographe d'améliorer ses connaissances en photographie, il est aussi essentiel, pour la réussite de son entreprise, qu'il ait quelques notions en administration. Ce côté ne doit pas être négligé. Les programmes d'éducation aux adultes mettent à sa disposition des cours en gestion, en administration, en marketing, etc., qu'il lui serait prudent de suivre.

L'équipement et le personnel

Le "généraliste" (ou spécialiste en tout) est un photographe polyvalent dans son travail et dans ses connaissances techniques. Son équipement lui permet de répondre adéquatement aux exigences de ses clients. Son studio possède un système d'éclairage électronique pour les besoins du portrait (soit en 5 ou 6 lumières), un agencement de différents fonds et décors, un appareil d'atelier généralement de format 6 X 6 cm. Pour le travail de type commercial, il utilise un appareil 10 X 13 cm avec corrections aux axes ou un appareil 6 X 6 cm. Des flashes électroniques portatifs ou des quartz apportent l'éclairage additionnel requis à l'extérieur du studio.

Les appareils de format 6 X 6 cm ou 6 X 7 cm peuvent être utilisés pour les reportages photographiques, les photos de relation publique et de mariage. À quelques occasions, le 35 mm est préférable aux autres appareils à cause de sa versatilité, de l'économie de film qu'il permet et de son encombrement réduit.

Une chambre noire pour le développement de films ainsi qu'un laboratoire équipé d'un agrandisseur 10 X 13 cm sont des installations nécessaires si on veut assurer un service complet à sa clientèle. Pour la production en couleurs, la majorité des studios confie leurs films à des maisons spécialisées. Néanmoins, plusieurs photographes professionnels s'occupent eux-mêmes de leur production en couleurs.

Il faut ajouter que le généraliste n'opère pas seul. Il compte un ou deux employés et parfois plus, afin de répondre à la demande. De cette façon, le studio peut rester ouvert au public si le photographe est appelé à l'extérieur. Ce dernier doit pouvoir compter sur l'aide d'une réceptionniste et d'un assistant et il doit s'assurer d'une main-d'oeuvre qualifiée pour le travail en laboratoire et la vente au comptoir.

Qualités requises

Avant tout, le généraliste doit avoir une personnalité agréable et un bon caractère. Il lui faut faire impression sur le client et gagner tout de suite sa confiance. Naturellement, l'amateur qui opte pour la photographie possède déjà un certain sens artistique, un goût de l'image et un désir continuel d'apprendre de nouvelles techniques. Il ne doit pas craindre les défis. Au contraire, en cherchant de nouvelles expériences, il améliore la qualité de son travail et développe ses compétences dans différents domaines. Son but est de réussir dans tout ce qu'il entreprend. Le grand avantage de ce métier, c'est que la routine n'existe pas!

Le photographe doit être sûr de lui afin de maîtriser toutes les situations, même les plus difficiles. Son assurance lui permet également de guider son client et de l'influencer favorablement. Il possède un sixième sens: par instinct, il voit venir les images intéressantes, les clichés uniques. Ses réalisations révèlent son goût du beau et de la perfection. Il sait retoucher les négatifs et corriger toutes les erreurs. Enfin, il met suffisamment de lui-même dans son travail pour être prêt à signer ses propres chefs-d'oeuvre.

Ce métier exige également du photographe qu'il soit en bonne condition physique. Les heures sont longues; les journées débutent tôt le matin, avant l'ouverture du studio à la clientèle, et le travail se poursuit tard le soir, à cause d'événements qui ont lieu en soirée, comme les banquets, réceptions, congrès, anniversaires, et même les portraits de famille et mariage.

Les équipements à transporter pèsent lourd. Il n'est pas question d'utiliser des appareils de type Instamatic avec "magic cubes"! L'éclairage artificiel exige une pesante batterie d'accumulateurs; il faut apporter un trépied, une valise pour le 10 X 13 cm et le 6 X 6 cm, etc. Définitivement, il faut être en forme, ne serait-ce que pour supporter le stress qu'entraîne l'exécution de certains contrats!

Avantages

Ce métier présente un avantage majeur: le photographe est lui-même toute son entreprise, et cette entreprise peut produire presque tout ce qu'on lui demande. Pour lui, un seul client peut constituer une source de revenus multiples, car il peut lui rendre plusieurs sortes de services. Prenons un cas fréquent. Le téléphone sonne: "Oui bonjour, ici votre photographe professionnel... Oui monsieur, nous faisons des photos de passeport, en couleurs ou en noir et blanc, et de très bonne qualité. Livraison immédiate... Vous êtes le bienvenu." Et notre client s'amène pour des photos de passeport. Dans le bureau, il a le loisir d'examiner vos portraits d'hommes d'affaires, de famille, d'enfants. Il s'informe des prix. Durant la séance de pose, il vous observe et vous faites connaissance. — "Et dans quelle ligne êtes-vous monsieur?" — "Oh, moi, je suis agent d'assurances", (décorateur, ingénieur, ébéniste ou commerçant, n'importe). — "Mais ce doit être un métier passionnant". — "Est-ce que vous faites des photos à l'extérieur? Je pense que j'aimerais avoir une photo de ma famille. C'est possible?" Le client s'informe, il connaît maintenant votre disponibilité, il aime votre travail et vous lui inspirez déjà confiance. Quelques mois plus tard, il vous téléphone; la compagnie qui l'emploie aurait besoin de photos de la façade de l'immeuble et de l'intérieur de quelques-uns de ses bureaux pour un nouveau dépliant ou un document audio-visuel. Par la suite, viennent les photos des enfants, des promotions, de la compagnie, etc. La roue tourne en votre faveur. Vous connaissez votre client, ses besoins et ses exigences. Cela favorise vos relations avec lui, et votre travail en est d'autant facilité. De son côté, le client apprécie de plus en plus votre aide et pour des raisons de commodité, il a recours à vos services exclusivement.

Toutefois, même si votre préoccupation majeure est de satisfaire les demandes de vos clients, vous devez parfois freiner votre enthousiasme et connaître vos limites. Il faut savoir refuser un travail s'il dépasse vos compétences. La réputation que vous avez réussi à vous mériter au prix de beaucoup d'efforts ne doit pas être brisée à cause d'un geste trop ambitieux. Le travail qu'on vous commande doit être effectué avec le plus grand soin, quelle qu'en soit l'importance. Un client satisfait vous rappelle toujours. La qualité de votre production est votre meilleur argument de vente. Dernièrement nous avons réalisé plusieurs contrats de photographie commerciale pour de nouveaux clients. Lorsque nous leur avons demandé pourquoi ils avaient fait appel à nos services, ils nous ont répondu: "Vous avez photographié des kiosques lors de l'exposition des compagnies à la Place Bonaventure; notre directeur des ventes y était et il s'est rappelé que vous faisiez du bon travail".

Les "studios à tout faire" ont la chance de pouvoir montrer leurs compétences dans divers domaines. Un travail particulier pour un client précis peut entraîner un mouvement en chaîne, amenant le photographe à exercer ses talents dans d'autres domaines spécialisés de la photographie.

Mais il y a toujours deux côtés à une médaille. Voyons l'autre maintenant.

Désavantages

Malgré son talent et toute sa bonne volonté, il y a des travaux que le généraliste ne peut honnêtement effectuer. Si vous jugez que les exigences de votre client font appel à des capacités techniques que vous ne possédez pas, il vous faudra le référer à un confrère plus qualifié, spécialisé dans ce genre de travail. On appréciera votre action. Au contraire, si vous acceptez la commande et qu'on est déçu de votre travail, vous serez le premier à être blâmé et vous perdrez sans doute un client, sinon plusieurs, car les mauvaises nouvelles vont vite!

Le désir de la perfection peut en amener certains à suivre à la lettre le dicton: "On n'est jamais mieux servi que par soi-même". Étant donné l'ampleur que vous désirez sans doute donner à votre entreprise, vous aurez certainement à réviser vos positions. Les journées devront compter plus de 24 heures si vous persistez à vouloir tout exécuter vous-même. Quand votre entreprise aura pris un peu d'importance, vous ne pourrez plus à la fois photographier, imprimer, développer, vendre, répondre au comptoir et prendre une journée de congé; il vous faudra faire un choix. Vos collaborateurs ont sans doute autant que vous le goût du beau travail. Enfin, dans un tel studio, il faut accepter aussi bien les petites assignations que les commandes plus considérables.

Le calendrier de travail

Le généraliste établit son calendrier de travail en fonction des saisons. Ainsi, durant les mois de janvier, février et mars, il prend ses vacances, réserve des séances de poses en studio et effectue quelques travaux commerciaux. Il en profite aussi pour planifier autant que possible ses activités pour le reste de l'année. Les mois d'avril, mai et juin sont importants car c'est le début de la saison des mariages. Dans la salle de pose, l'atmosphère rappelle encore les photos de premières communions et les portraits d'enfants. Durant cette saison, on fait également beaucoup de photos de passeport et de l'encadrement. Avec les beaux jours, la photo extérieure reprend. Puis, c'est le boum des mariages durant tout l'été. Les fins de semaine sont bien remplies. La période des vacances et l'activité des amateurs de photographie entraînent un surplus de travail qu'il faut prévoir au niveau des services de finition et de la vente au comptoir.

Septembre, octobre, novembre et décembre sentent la fête car c'est le temps de préparer les cadeaux de Noël. Quoi de plus précieux qu'un portrait de famille ou une photo personnelle! C'est aussi la période du retour à l'école, des photos scolaires, des cartes d'identification et des portraits d'enfants. Et à la satisfaction de l'artiste, c'est la saison des couleurs chaudes d'automne qui suscitent l'admiration des amateurs de photographie. Il n'y a rien de tel pour la santé et l'environnement qu'un safari photographique. Le plein air, un bon appareil et tout l'arc-en-ciel. Quoi demander de plus, si ce n'est "la photo parfaite"?

Portrait

Lorsqu'on fait un portrait, il faut se rappeler une chose: la plupart des gens ne veulent pas se voir tels qu'ils sont; leur désir est de plaire à ceux qui vont regarder la photo. Les accessoires, les décors, les arrière-fonds, les poses, la tenue vestimentaire, les couleurs, l'éclairage, les effets de lentille, la composition et la touche finale sont les éléments qui favorisent la "réussite" de la photo au sens où les clients l'entendent.

Yousouf Karsh était d'avis que pour faire un bon portrait, il fallait 95% de psychologie et 5% de technique. Certains diront 5% de quincaillerie, d'autres 5% d'effort acharné. Quoi qu'il en soit, il faut réussir à donner une image qui corresponde à la personnalité du sujet, saisir un trait de caractère ou un regard particulier. Dans le studio, deux personnalités s'affrontent et pour obtenir cette fraction de seconde favorable, il faut que le portraitiste utilise tous les moyens que mettent à sa disposition son expérience et ses qualités de psychologue. Le dialogue et la communication permettent au client et au photographe de se sentir à l'aise et créent des conditions favorables à la réussite de la photo. Les clichés peuvent ainsi être pris dans une atmosphère détendue. Confiant, le sujet vous dira peut-être: "Je suis sûr qu'ils seront bons". Voilà une excellente réaction!

N'importe qui peut fixer un visage sur une image, mais ce portrait correspondra difficilement aux attentes du sujet. Il ne suffit pas d'une bonne impression; il faut un regard qui accroche, une expression particulière. Voilà, en résumé, comment se pratique l'art du portrait. Je dis en résumé, car pour atteindre le fin du fin en ce domaine, il faut du temps et beaucoup d'expérience. En fait, lorsqu'on demandait à Philippe Hallsman d'identifier le portrait qu'il avait le plus aimé produire, il répondait: "Le prochain que j'aurai à faire". Voilà qui est exigeant, n'est-ce pas? C'est pourtant ainsi que les choses se passent.

Le portrait d'enfant

Les enfants vivent dans un monde qui bouge. Je suis d'accord, dans ce cas, pour dire qu'une bonne photo demande 95% de psychologie et certainement 5% d'effort! Il faut être psychologue... et préparer ses appareils à l'avance, c'est le secret. Vous devez vous mettre au niveau des enfants, penser et agir en fonction de leur âge. Tout doit être réglé et prêt à fonctionner. Pas question de dire à l'enfant: "Ne bouge pas, j'ajuste ma lentille". Il aura eu le temps de faire le tour de l'atelier 3 fois avant que vous ayez terminé. Il faut fixer l'attention et l'imagination de l'enfant, contrôler ses gestes, ses désirs. Les jouets adaptés à différents groupes d'âge vous seront d'un grand secours. Si vous connaissez certaines émissions pour enfants, le nom de leurs idoles ou de leurs livres préférés, vous pourrez trouver un sujet de conversation convenable. L'important est d'obtenir leur attention et de garder leur intérêt. Les décors étant montés, il ne reste plus qu'à vérifier l'ajustement des lumières et de l'appareil. Ceci fait, guettez la fraction de seconde favorable qui vous permettra de capter dans un regard ou une expression le merveilleux de l'enfant. Si vous avez réussi à créer une atmosphère agréable, vous aurez peut-être l'heureuse surprise, une fois la séance de pose terminée, de voir vos jeunes sujets insister pour rester encore à jouer dans votre atelier!

Si je me permettais de donner ici un conseil, c'est aux parents que je m'adresserais. Durant toute la semaine précédant la séance de pose, ceux-ci multiplient souvent les recommandations à leur enfant: "Ne ris pas, ne bouge pas", etc. Le moment venu, ils l'endimanchent et le coiffent si bien que finalement, l'enfant se sent mal à l'aise et effrayé par tous ces préparatifs. Nous suggérons aussi aux parents de laisser l'enfant seul avec le photographe afin que ce dernier puisse engager un dialogue avec lui et gagner sa confiance. Le fait de ne pas être surveillé peut également aider l'enfant à retrouver une attitude plus détendue. Souvent, cette façon de procéder fait toute la différence entre un duo et un duel. L'action se passe entre le photographe et l'enfant, et les intermédiaires ne peuvent que gêner les opérations.

Il y a une différence entre l'amateur et le véritable portraitiste. Dans le premier cas, la loi de la moyenne veut qu'une pose, au moins, soit correcte sur un rouleau de 36. Le professionnel, quant à lui, ne peut compter sur la chance. La séance de pose doit être bonne. Et la différence n'est pas dans la complexité de l'équipement.

La photographie commerciale

La photographie commerciale, telle que nous l'entendons ici, désigne les photographies commandées par des compagnies et utilisées à des fins de publication, de publicité ou de promotion. Il peut s'agir de photos prises lors d'une conférence de presse ou d'un banquet, d'images montrant l'intérieur d'un magasin, des immeubles, des chantiers de construction, des produits pour un catalogue ou, encore, le travail peut concerner la mode ou constituer un reportage. Lorsqu'on fait de la photographie commerciale, il faut savoir se mettre dans la peau du client et se poser les questions suivantes: "Quel est le besoin véritable?" et "À quoi servira cette photo?" Écoutez d'abord le client, laissez-le émettre ses idées sur la façon de présenter le sujet. S'il vous dit carrément: "Écoute, c'est toi l'expert, je te confie l'affaire". — Alors vous avez carte blanche.

Souvent, la compagnie possède son directeur de publicité ou de mise en marché et c'est généralement avec lui que vous ferez affaire. Il sait ce qu'il veut et il possède une bonne expérience de l'utilisation de la photographie. S'il vous demande de photographier des articles pour un catalogue, il déterminera s'ils doivent être présentés sur fond de couleurs ou sur table lumineuse. Il connaît sa mise en page et pourra vous en montrer le plan pour vous guider dans le choix des décors, des fonds, des accessoires. Il vous indiquera aussi l'impression qui se dégagera de l'ensemble: douceur, sentimentalité, solitude, etc.

Lorsqu'un client vous demande des photos en couleurs ou en noir et blanc de l'intérieur de son immeuble, il peut s'adresser à vous pour plusieurs raisons: la vente, l'évaluation, la location, l'assurance, le financement ou dans le but d'illustrer une publication. Il faudra évidemment montrer l'immeuble sous ses meilleurs angles. Mais auparavant, vous devrez savoir si votre client désire, ou non, voir la borne-fontaine, le panneau d'arrêt d'autobus, les autos stationnées devant l'immeuble, le linge sur les balcons, le monde aux fenêtres, les poubelles sur le côté, etc. Tout cela dépend de l'utilisation qu'il entend faire de sa photo.

Pour la photographie à l'intérieur, vous devrez choisir l'angle qui donne l'image la plus satisfaisante par rapport aux besoins du client, employer le film qui convient le mieux à l'éclairage et les filtres appropriés. Il vous sera sans doute nécessaire de balancer l'éclairage ou d'ajouter des lumières additionnelles, d'agencer les décors, de rajouter des meubles et des accessoires, de placer les fauteuils, de vider les poubelles et les cendriers; bref, vous devrez mettre votre sens artistique à l'épreuve pour que le résultat photographique soit supérieur à l'image réelle.

Pour les photographies d'extérieur et d'intérieur, il est primordial d'obtenir des lignes droites, parallèles et non convergentes; toute l'image doit être au foyer, de l'avant à l'arrière. Pour cela, un appareil à correction à grand angle ou un 6 X 7 cm avec correction d'angle et de niveau est indispensable. En photographie commerciale ou en illustration, l'impression grand format (40 X 50 cm ou plus) est souvent requise. Il faut de bons négatifs bien développés et dont l'exposition est parfaite afin de rendre justice à votre travail et à votre client. Et si votre photographie est utilisée dans une publication quelconque, elle devra généralement être faite sur film à diapositives en couleurs.

La photographie commerciale n'est pas une activité de tout repos. Il m'est arrivé à plusieurs reprises, comme à certains de mes confrères, d'avoir à travailler dans des conditions plutôt difficiles, sur les échafaudages des chantiers de construction, dans des tunnels où l'éclairage était inexistant ou encore suspendu par un câble le long d'une paroi. Nous prenons tout de même un certain plaisir à réussir ce qui semble impossible. C'est peut-être là un des côtés cachés du tempérament du photographe.

Autres travaux

Un studio de photographie dit "généraliste", fait également des photos pour passeports, visas ou inscriptions; il garde en magasin une série complète de cadres et offre à sa clientèle un service d'encadrement pour photographies, travaux de broderie ou au petit-point, tableaux, etc. Il s'occupe de la finition des films et conseille les amateurs sur la façon d'obtenir de meilleurs résultats. Certains s'occupent également de clubs de photographie, en tant qu'instructeur ou animateur. Ce type de studio prépare aussi des faire-part et des cartes d'invitations et de remerciements.

Et qui, mieux que le photographe artisan, peut soigner et guérir les photographies qui, avec le temps, ont subi des·mauvais traitements? La copie et la restauration de vieilles photos sont monnaie courante dans les studios et les photographes sont habitués à ce genre de travail. Que ce soit en noir et blanc ou en couleurs, à la sépia ou à l'huile, les miracles sont toujours possibles. Outre tous ces services, le généraliste fait aussi de la photographie sportive et de la photographie aérienne.

Enfin, de plus en plus, les studios exploitent auprès de leur clientèle un nouveau marché: la photographie décorative de paysage, de nature, de famille ou de type industriel. En effet, pourquoi ne pas mettre l'art photographique au service de l'art décoratif? Par exemple, il est possible de commander une scène typique de la région pour décorer le mur d'un bureau; un restaurateur peut placer des photographies de mets gastronomiques sur les murs de son établissement; une famille peut orner son salon de portraits imprimés sur toiles photographiques; et mieux encore, pourquoi ne pas acquérir une oeuvre du photographe professionnel de votre région..? Il s'agit d'une valeur sûre, qui deviendra peut-être un document unique sur l'histoire de votre localité... ou de votre famille.

Un spécialiste

On ne devient pas et surtout on ne demeure pas photographe professionnel par un simple concours de circonstances. Le généraliste est peut-être plus spécialisé que les apparences ne le laissent croire. Il doit être à la fois portraitiste, laborantin, photographe industriel, commercial, etc. Il lui faut également être psychologue, avoir la main sûre, une santé de fer et une personnalité agréable. Son tempérament d'artiste doit aussi s'ajuster aux exigences financières de son commerce. Il doit être un bon gestionnaire et un administrateur efficace. Il aime son travail par-dessus tout et ne craint pas les défis, heureux d'en apprendre toujours d'avantage.

L'association

Fondée en septembre 1951, l'Association des photographes professionnels de la province de Québec regroupe les photographes dont la majeure partie des revenus provient de l'exercice professionnel de la photographie.

Opérant sous le nom "Les photographes professionnels du Québec Inc." (P.P.Q.), l'Association s'occupe d'informer, d'éduquer et de défendre les membres et la profession. De plus, elle prend une part active dans la défense des droits du consommateur. Elle possède son propre code d'étique. En octobre 1967, l'Association devenait la "Corporation des maîtres-photographes" et regroupait les photographes dont le travail et le talent leur avaient mérité le titre de "maître-photographe".

Le conseil provincial de l'A.P.P.Q. comprend 18 délégués, soit 2 pour chacune des 9 régions administratives. Celles-ci sont autonomes quant aux rencontres et aux activités qu'elles organisent. Le conseil provincial convoque à chaque année une assemblée générale de ses membres afin d'élire les officiers provinciaux et d'établir les lignes de conduite pour l'année à venir.

Les activités principales de l'Association sont les suivantes: le congrès annuel, auquel participent des conférenciers de renom, l'exposition de photographies, l'exposition d'équipements photographiques et les soirées rencontres. Le congrès annuel se tient toujours à l'automne. En mai, depuis près de 10 ans, les cours PHOTIQUE sont ouverts aux photographes désireux de se perfectionner. PHOTIQUE est un cadeau que nous nous offrons à nous-mêmes. Il comprend 4 jours de sessions de travail intensives et a lieu sur un campus universitaire.

Parmi les autres activités, citons des concours et des expositions de photographie, des conférences régulières de différents spécialistes, des rencontres dans les régions, des publications techniques et d'information et des travaux et mémoires présentés aux gouvernements fédéral et provincial. Il faut aussi souligner les efforts de l'Association visant à assurer la participation du Québec au projet de l'Année mondiale de la photographie. Enfin, mentionnons les travaux des membres concernant l'établissement d'une "Maison de la photographie" où il serait possible de trouver, sous un seul toit, pour les amateurs et les professionnels, des salles de cours et d'expositions, des archives, un musée, une bibliothèque, un studio, un laboratoire et différents services d'information.

L'Association, grâce à l'activité des photographes professionnels, est un organisme qui a grandement contribué à l'essor de la photographie au Québec.

En conclusion

Le métier de "généraliste" est exigeant. Il faut vraiment presque tout savoir car les clients nous considèrent comme des experts, quelle que soit la nature du travail qu'ils nous proposent. Cependant, le photographe professionnel qui oeuvre dans un studio peut être assuré de ne pas avoir pris le chemin de la routine. La diversité de ses tâches et l'ampleur de chacun des domaines de la photographie lui ouvrent un monde de connaissances et d'expériences nouvelles qui rendent son travail plus intéressant encore. Il peut certes se compter chanceux d'être "spécialiste en tout".

Le photographe à la pige

par Antoine Desilets

Au Québec comme ailleurs, l'intérêt pour la photographie ne cesse de croître. De plus en plus, on consomme de la photo. De plus en plus aussi, on a recours aux services du photographe et plus particulièrement, du photographe à la pige. Nous allons donc vous en parler un peu.

Définissons, idéalement, notre homme: sorte de généraliste de la photo, le plus souvent "photodidacte", travaillant seul, à son compte, il est actif, dynamique, débordant d'imagination, compétent, disponible (au point parfois de sacrifier ses soirées et ses fins de semaine) et débrouillard: on ne compte plus les problèmes inattendus qui exigent une solution immédiate et qui n'ont souvent rien à voir avec la prise de vue elle-même.

Si vous croyez posséder ces qualités et aptitudes, vous pourrez peut-être décider de "partir en affaires". Mais comment y parvient-on au juste? Il faut d'abord, évidemment, se faire connaître. On peut, dans ce but, préparer plusieurs dizaines de lettres circulaires incluant son curriculum vitae et les expédier à des destinataires sélectionnés. Cependant, comme les réponses risquent d'être rares, il peut devenir utile de pousser un peu plus loin la sollicitation en allant rencontrer personnellement certains clients potentiels et en leur présentant un porte-folio de vos meilleures photos, question d'étaler votre expérience et votre compétence... et de montrer quelle tête vous avez!

La photographie à la pige touche une clientèle assez variée, comprenant les journaux, les magazines, les publications diverses et les maisons d'édition. Elle s'adresse aussi à différentes entreprises privées ou publiques. En fait, les services du photographe sont recherchés par tous ceux qui ont besoin de photos pour illustrer ou appuyer un texte ou une idée, pour vendre ou faire connaître un produit, etc.

Toutes ces personnes s'attendent à ce que vous leur fournissiez un travail professionnel, c'est-à-dire de l'ouvrage techniquement bien fait et rapidement exécuté. De cela essentiellement dépendra le succès ou l'échec de votre entreprise.

Soulignons, aussi, que c'est une chose que de contrôler pleinement ses moyens techniques, mais que c'en est une autre toute aussi importante que de savoir organiser son travail pour rendre son entreprise fonctionnelle et rentable: tenue de livres, comptabilité, facturation, etc. Nous n'hésiterions pas d'ailleurs, question de partir du bon pied, à recommander au débutant de prendre conseil, s'il le juge à propos, d'un comptable ou d'un homme de loi pour les questions se rapportant à l'organisation et à la mise en marche de son entreprise.

Les droits d'auteur

À retenir tout de suite: un photographe ne vend pas ses photos, il les "loue". C'est-à-dire qu'il consent aux intéressés le droit d'utiliser et de publier, une fois seulement, une de ses oeuvres. Dans ce métier, on a cependant l'habitude d'employer le terme "vente" pour désigner cette sorte de location de permission. Si vous "vendez" ainsi une photo, exigez toujours que vos tirages vous soient retournés sans délai, car la tentation est toujours forte pour un acheteur d'utiliser une photo à plus d'une occasion, sans en informer son auteur qui, de ce fait, perd ses droits et ses revenus.

Il existe plusieurs types de droits d'auteur; voyons les cas les plus courants, tels que décrits par le Code américain des droits d'auteur.

Les premiers droits

C'est le droit que l'on accorde à une personne ou un organisme d'utiliser une ou plusieurs photos inédites, *avant toute autre personne ou organisme* et ce, pour une période déterminée, à l'expiration de laquelle l'auteur peut en disposer comme bon lui semble.

Les droits exclusifs

Ils assurent l'intéressé que la photo qu'il utilise ne pourra servir dans une autre publication similaire ou concurrente; les parties s'entendent sur la période d'exercice de ces droits exclusifs.

Les droits d'une utilisation

Ce type de droits, auquel nous référions plus haut, permet l'utilisation, une fois seulement, d'une ou plusieurs photos inédites ou déjà publiées, par exemple pour des calendriers, des affiches, des cartes postales, des journaux, des publications diverses, etc.

Les deuxièmes droits

Il s'agit des droits perçus lorsqu'une photographie est utilisée pour la seconde fois par les mêmes personnes. À noter que certains organismes prévoient parfois verser un cachet moindre dans le cas d'une deuxième publication. Cela n'exclut pas la possibilité de négocier.

Exemple d'une charte de droits d'auteur telle que suggérée par l'association canadienne de photographes et illustrateurs de publicité (ACPIP).
Le ministère du Développement culturel pépare présentement un livre blanc au sujet de la "propriété intellectuelle".

CONDITIONS

A. CONCESSION DE DROITS: Définitions
Les termes ci-dessous ont les significations suivantes:
1. Droits à une seule utilisation: Droit de reproduire le travail:
  1. Une seule fois
  2. Une édition, ainsi définie: une publication intégrale d'un livre, d'un magazine etc., avec couverture souple ou dure.
  3. Une publication
  4. Une langue
  5. Un territoire
2. Droits prioritaires: Les droits prioritaires ont la même signification que les droits à une seule utilisation avec cette différence, toutefois, que l'Artiste s'engage à ne pas autoriser une publication antérieure de la même oeuvre ou d'une oeuvre similaire dans toute autre publication du même territoire et s'engage à ne pas autoriser une publication subséquente pendant les 90 jours qui suivent la publication.
Le client n'a l'option d'exercer ce droit que pour une année seulement et cette option expire à moins que l'Artiste n'ait accepté par écrit de la prolonger. Dans le cas où le client n'a pas exercé son option dans l'année, il conserve cependant les droits à une seule utilisation mais l'Artiste peut vendre l'oeuvre ailleurs.
3. Droits exclusifs: Ce sont les droits exclusifs de reproduire le travail. Ils peuvent être limités à une certaine durée, à un certain territoire, à un certain type d'utilisation, par exemple magazines des États-Unis en exclusivité pour une année seulement.
4. Achat intégral de tous les droits: Il s'agit des droits d'exclusivité pour le monde entier. Tous les droits attachés à l'oeuvre, y compris le droit d'auteur.
5. Droits multiples: Il s'agit du droit de reproduire l'oeuvre dans un média spécifique et pour une durée convenue.
6. Droits de traduction: C'est le droit de reproduire l'oeuvre en une ou plusieurs traductions de la même publication.
7. Droits de distribution: C'est le droit de reproduire l'oeuvre ou de la distribuer dans un territoire.
8. Droits de promotion: C'est le droit d'utiliser l'oeuvre aux fins de publicité concernant une publication; par exemple une photographie ou une illustration à l'intérieur de la couverture, utilisée pour la promotion d'un livre. Ces droits sont limités à une seule utilisation seulement.
9. Droits de stockage: C'est le droit de louer l'oeuvre à des maisons de stockage de photos pour une certaine période limitée seulement.
10. Droits se rapportant à une oeuvre expérimentale: C'est le droit de faire travailler l'Artiste à une oeuvre expérimentale, en vue d'une annonce publicitaire.
11. Droits de publication par les médias électroniques: C'est le droit de reproduire l'oeuvre par la télévision faisant partie d'une annonce publicitaire, sur bandes magnétoscopiques, disques, films, radiodiffusion, etc.
12. Droits à l'histoire: Un groupe de photographies ou d'illustrations qui forme un ensemble peut être vendu en tant qu'histoire. La publication de l'une ou l'autre de ces photographies ou

illustrations ainsi achetées constitue une publication de l'histoire et, en l'absence d'une convention spéciale à ce sujet, l'éditeur ne possède aucun droit supplémentaire de publication de ces photographies ou illustrations qui n'ont pas été publiées en premier lieu.
13. Oeuvre et surplus: Le terme "Oeuvre" tel qu'utilisé dans ce document signifie ces résultats qui proviennent de l'exécution de l'Artiste selon les termes de ce contrat et dans laquelle les droits de l'Artiste subsistent et qui a été sélectionnée et acceptée par le client en vertu du paragraphe intitulé "Description de l'oeuvre". Le terme "Surplus" tel qu'utilisé dans les présentes signifie tous les résultats provenant de l'exécution de l'Artiste selon les termes de ce contrat, autre que l'oeuvre même.

B. AVIS DU DROIT D'AUTEUR:
À moins que le client n'ait acheté tous les droits attachés à l'oeuvre, il doit s'assurer que l'avis du droit d'auteur dans la forme indiquée au recto de la date de la facture apparaisse bien sur l'oeuvre, où qu'elle soit utilisée.

C. HONORAIRE DE BASE DE L'ARTISTE:
1. Les honoraires de base de l'Artiste ne se rapportent qu'aux droits attachés à l'oeuvre, stipulés au recto de cette formule, à condition, toutefois, que lesdits honoraires sont dus et payables, que l'un ou l'autre desdits droits soit exercé ou non.
2. Le client doit payer les honoraires de base à l'Artiste au plus tard le dernier jour du mois qui suit le mois de la date de la facture de l'Artiste.
3. Les coûts raisonnables et relevant des modèles, des accessoires, de la location et des autres dépenses doivent être — si les honoraires de base n'incluent pas les frais de production — encourus par l'Artiste, pour le compte du client, en qualité d'agent du client, et l'Artiste est expressément autorisé par les présentes à faire facturer directement au client les frais indiqués ci-dessus; sinon, le client doit rembourser l'Artiste des frais encourus sur présentation des factures de l'Artiste.

D. RÉSILIATION:
1. Dans le cas où le client demande l'annulation moins de 48 heures avant l'heure prévue pour la prise de vues, l'Artiste, en tant qu'illustrateur, a le droit de recevoir cinquante pour cent (50%) des honoraires de base.
2. Si le client demande l'annulation de la commande, l'Artiste en tant qu'illustrateur, a le droit de recevoir telle partie des honoraires de base qui sera déterminée par l'Artiste proportionnellement au travail en cours d'avancement par rapport à l'ensemble de l'oeuvre; et le client aura le droit d'examiner l'oeuvre en cours d'avancement après l'annulation.

E. AUTRES DISPOSITIONS:
1. Responsabilité: La responsabilité de l'Artiste en cas d'endommagement, de destruction ou de perte de diapositives, de négatifs ou d'illustrations, que ces objets soient ou non sous le contrôle de l'Artiste ou de ses agents ou soient en cours de transmission au client ou en un lieu spécifié par le client, est

limitée dans tous les cas au montant des honoraires de base de l'Artiste et sera déduite par compensation. L'Artiste décline toute responsabilité, dans tous les cas, pour toute perte indirecte résultant d'un tel dommage, d'une telle destruction ou perte.
À moins que le client n'ait acheté tous les droits attachés à l'oeuvre, sa responsabilité, sous forme de dommages-intérêts forfaitaires et non pas à titre de clause pénale, dans le cas d'un endommagement, d'une destruction ou d'une perte de toute diapositive, de tout négatif ou de toute illustration, que ces objets soient sous le contrôle du client ou de ses agents, s'élèvera dans tous les cas à trois fois le montant des honoraires de base de l'Artiste.
2. Retard pour cause de force majeure: Un retard pour cause de force majeure signifie tout retard dans l'exécution des obligations de l'une ou l'autre des parties à ce contrat, causé par des circonstances en dehors du pouvoir ou du contrôle de la partie défaillante et qui comprennent: grève, conflit du travail, impossibilité de se procurer des matériaux, coupure de courant électrique, restrictions stipulées dans des lois ou règlements du gouvernement, trouble de l'ordre public ou toute autre cause de nature similaire qui ne constitue pas une faute de la partie en retard dans l'exécution de ses obligations, mais n'incluent pas l'insolvabilité ou le manque de fonds.
Dans le cas où soit l'Artiste soit le client se trouvent être en retard dans l'exécution de leurs obligations ou empêchés d'exécuter tout acte prévu par le présent contrat, en raison d'un retard qu'ils ne peuvent empêcher et qui ne constitue pas une faute de la partie en retard, l'exécution d'un tel acte sera excusée pendant la période au cours de laquelle une telle exécution est devenue impossible, et le délai d'exécution d'un tel acte sera prolongé en conséquence, mais ce qui précède ne peut tenir lieu d'excuse au client de ne pas payer promptement tout montant dû et payable en vertu de ce contrat.
3. Droit applicable: Tout ce qui concerne ce contrat, sa validité, son exécution ou sa violation, sera régi par les lois de la province de l'Ontario.
4. L'intégralité du contrat: Cette confirmation d'engagement, une fois acceptée, constitue le contrat intégral entre les parties et représente un contrat d'achat et de vente des droits attachés à l'oeuvre, qui lie les parties, et sous les rapports et à tous les égards, le temps sera de l'essence dudit contrat. Il ne pourra y avoir aucune autre représentation, garantie ou condition, expresse ou implicite et qu'aucun autre contrat concomitant, affectant cette confirmation d'engagement ou l'intégralité du travail en cours d'avancement par rapport à l'intégralité des droits conférés par la présente, n'existent en dehors des stipulations exprimées dans la présente par écrit.
Cette confirmation d'engagement ne peut être modifiée ou amendée que par un acte écrit signé par les deux parties. Toutefois, il est expressément convenu qu'une facture de ce contrat que vi un "ordre de travail" ni un "bulletin de commande", tels qu'ils sont communément définis dans l'industrie de la publicité, ne puissent modifier ou amender cette confirmation d'engagement, même s'ils sont établis par écrit et signés par les deux parties.

33

_____

(Nom)

_____

(Adresse)

_____

CONFIRMATION D'ENGAGEMENT

Membre de l'A.C.P.I.P. (Dénommé ci-après ''L'Artiste'')

À: _____ DATE: _____

(Nom du client) OBJET: _____

_____

(Adresse du client)

À L'ATTENTION DE: _____ (Produit/Client)

(Acheteur autorisé) (No de travail du client)

DESCRIPTION DE L'OEUVRE:

A. CONCESSION DE DROITS:* *Les droits attachés à l'oeuvre et concédés au client sont exclusivement stipulés ci-dessous et tous les autres droits attachés à l'oeuvre ou supplémentaires sont réservés à l'artiste. (Voir la définition des droits stipulés au verso de ce document).* *À moins que le client n'ait acheté l'intégralité des droits attachés à l'oeuvre, l'ensemble de l'oeuvre demeure la propriété de l'Artiste et doit lui être retournée sitôt que le client l'aura utilisée conformément à ce contrat. Tout surplus demeure la propriété de l'Artiste et doit lui être retourné, dans tous les cas.*

DROITS ACHETÉS: _____

B. AVIS DES DROITS D'AUTEUR:*

Le nom doit être mentionné sur l'oeuvre chaque fois que l'oeuvre est utilisée comme suit: ((©|Année| p.p. [Nom du titulaire du droit d'auteur])

C. HONORAIRES DE BASE:*

Brut: $ _____

Frais de production compris: [ ] *Frais de production non compris:* [ ] Net: $ _____

TAXES: *non comprises dans les frais ci-dessus* [ ] *comprises dans les frais ci-dessus* [ ] *T.V.P. applicable:* [ ] *T.V.F. applicable:* [ ]

D. DATE D'ACHÈVEMENT DE L'OEUVRE:*

_____

JE DONNE MON ACCORD aux honoraires, droits et conditions ci-dessus stipulés, j'ai lu les conditions prévues au verso de ce document et je les accepte.

_____ _____

(Signature de l'Artiste/Représentant autorisé) (Signature de l'acheteur autorisé)

Voir les définitions des conditions et le Code d'éthique de l'A.C.P.I.P. au verso.

L'ORIGINAL DE CE DOCUMENT demeure entre les mains de l'Artiste.

Il est possible qu'un photographe accepte de céder *tous ses droits* sur une photo. Cependant, une telle décision est généralement déconseillée; elle constitue souvent un mauvais calcul. Il s'agit, la plupart du temps, d'un document d'une valeur exceptionnelle (par exemple la collision en plein vol de deux Concordes...!) et pour cette raison, l'acheteur est prêt à "payer le prix" pour en garder l'exclusivité. Avant d'abandonner *tous ses droits,* il convient de considérer certains éléments: l'intérêt de la photo, le volume du tirage qui en sera fait, l'importance de sa diffusion (locale ou nationale), la popularité du journal ou de la publication qui veut l'acheter, etc. Il faut aussi se demander s'il ne serait pas plus avantageux de profiter plusieurs fois de la même photo selon la formule des droits d'une utilisation. Toutes ces considérations permettront de prendre une décision judicieuse. Il faut mentionner que le négatif doit être remis à l'acheteur si le photographe cède tous ses droits sur une photo.

On recommande à l'auteur d'indiquer à l'endos de chaque photo, au moyen d'estampilles, le type de droits conféré à l'utilisateur, de même que le petit "c" (pour copyright) et d'y inscrire, s'il y a lieu, une note à l'effet que personne ne peut utiliser cette photo sans l'autorisation de son auteur.

Occasionnellement, certains acheteurs exigeront du photographe une formule de *libération de droits.* De cette façon, ils sont assurés que l'utilisation de la photo n'entraînera aucune opposition ou poursuite judiciaire de la part des personnes qui figurent sur les photos. Il est bien évident que les autorisations verbales ne constituent pas une garantie certaine pour l'acheteur.

En considération de la valeur de ce chèque,
je, soussigné, donne à Bob Fisher,   et/ou
la permission d'imprimer, publier, ou utiliser
pour toute autre raison les photographies prises de moi.
Signé: . . . .

Exemple d'une formule de libération de droits.

Les formules de libération des droits ne sont pas nécessaires dans tous les cas. Il ne faut pas croire qu'en omettant de les réclamer, on risque automatiquement d'avoir à faire face à un recours en justice. Ces garanties sont exigées la plupart du temps lorsque les photos servent à des fins publicitaires. Par contre, une telle précaution est inutile si, par exemple, la prise de vue est effectuée dans un lieu public, sans intention manifeste de porter préjudice aux personnes photographiées. De toute façon, les individus impliqués sont souvent trop nombreux pour que cette procédure soit possible. Il n'y a généralement pas lieu de craindre de contestation judiciaire à moins que la photo ne porte sérieusement atteinte à l'intégrité de la personne ou de sa vie privée, lui causant ainsi un préjudice sérieux. Si le cas se produisait, le photographe ne serait pas le seul responsable. Le secrétaire de rédaction et, plus largement, le journal lui-même, seraient aussi impliqués puisque c'est à ce niveau que les publications sont autorisées. Quant au cas typique de la photo de foule publiée dans le journal du lendemain, où "Madame" reconnaît "Monsieur" accompagné de sa maîtresse, il ne peut entraîner aucune action judiciaire sinon... une demande de divorce.

Il existe certains lieux, tels les sites militaires, les cours de justice, les églises, les musées, etc., où il peut être interdit ou très mal vu de faire de la photo; si on passe outre ces conventions, c'est à ses risques et périls. Les secrétaires de rédaction et les directeurs artistiques sont au courant du danger qu'il y a à publier des photos prises dans telles conditions.

D'un autre côté, on s'attend à ce que toute personnalité connue, vedette de cinéma, politicien, etc. accepte (si elle ne le souhaite pas d'ailleurs) d'être la cible des photographes lorsqu'elle paraît dans un lieu public. En ce qui concerne sa vie privée, la situation peut être différente. Là encore, il faut garder à l'esprit la notion de préjudice et prendre sa décision en fonction de la situation.

La publication d'une photographie accompagnant la description d'une nouvelle "chaude" ou nouvelle d'actualité (l'image d'un blessé dans une collision de voitures ou au cours d'une manifestation, par exemple) ne pose habituellement aucun problème. Cependant, la même photo, publiée un an plus tard, pourrait incommoder les personnes impliquées. Il est donc préférable de prévenir les complications éventuelles en ayant recours à la formule de la libération des droits. Si la personne figurant sur la photo n'est pas en mesure de signer la formule au moment de la prise de vue, on peut aller la voir peu après et régler cela à tête reposée. Il vaut cependant mieux obtenir les signatures le plus vite possible.

Il existe, enfin, certaines catégories de gens, tels les prévenus, les témoins ou les victimes dans un procès, les enfants mineurs, etc., que la loi nous interdit de photographier en certaines circonstances. Les formules de libération se rapportant à des photos impliquant des enfants mineurs doivent être signées par l'un des parents ou par leur tuteur, s'il y a lieu.

36

Il faut toujours s'abstenir de publier la photo d'une personne avant de la lui avoir montrée au préalable, et ce, avant même d'en obtenir une libération. Cette précaution évite à tout le moins certains malentendus, surtout lorsqu'il s'agit de photos d'une nature particulière. On pense par exemple à celles qui sont réalisées avec un objectif hypergone (fish-eye), en plongée ou en contre-plongée et qui ne mettent pas toujours en valeur leur plus beau côté; enfin, toutes ces photos auxquelles les sujets ont bien voulu se prêter mais dont ils ignorent encore le résultat final. Trop de gens se sentent lésés par le contenu d'une photo ou du texte qui l'accompagne, prétextant que le tout est contraire aux faits ou à la réalité.

Le porte-folio

Tout photographe à la pige qui débute dans le métier devrait réunir, dans un porte-folio, une quarantaine de ses meilleures réalisations photographiques. Il peut aussi constituer plusieurs ensembles de photos classées selon différents thèmes et capables de satisfaire les besoins particuliers d'une clientèle variée. Selon le type d'entreprises auxquelles le jeune photographe désire s'adresser, les séries de photos pourraient être d'intérêt public, commercial, industriel ou sportif, ou toucher l'environnement, la nature, etc. Au chapitre du contenu, il ne faut pas craindre de sélectionner des images choc, impressionnantes, inusitées. Sur le plan technique, elles doivent être impeccables à tous les points de vue: mise au point, cadrage, densité, contraste, repiquage, etc. Nécessairement, ces documents témoignent d'un style de travail, voire même d'une personnalité et ils sont révélateurs du talent ou du calibre de leur auteur; ils permettront au client potentiel d'évaluer les compétences de celui-ci par rapport à ses propres exigences. Si vous êtes d'une nature silencieuse, vos photos parleront pour vous, pour peu qu'elles soient éloquentes et séduisantes; si par contre elles n'ont rien à dire, à vous de parler fort et d'être convaincant!

L'attaché-case, format 40 X 48 cm de préférence, contenant une vingtaine de pages plastifiées (40 photos, 2 par page, dos à dos) semble connaître la faveur de la majorité des photographes professionnels. Ce format "valise" permet de recevoir des photos de 28 X 36 cm que l'on peut regarder facilement, que leur cadrage soit vertical ou horizontal, sans avoir à tourner continuellement son porte-folio. Certaines pages peuvent être remplacées par des pochettes contenant des diapositives en couleurs et même par quelques découpures de journaux, s'il y a lieu, celles-ci étant la preuve que l'on reconnaît la qualité de votre travail.

La photothèque

La plupart des photographes professionnels accumulent, au cours des années, un très grand nombre de photos et de diapositives. Trop peu, cependant, réalisent à quel point cette banque d'images, pourrait être rentable. Faute de temps ou de patience, la majorité d'entre eux ne procèdent à aucune classification sérieuse de toute leur documentation visuelle. Certains vous diront que leurs photos sont trop vieilles et que de ce fait, elles n'ont plus aucune valeur. Je suis pour ma part d'avis contraire. J'ai eu l'occasion, à maintes reprises, de vendre des photos datant de plus de vingt ans (principalement à des écrivains, biographes, historiens, scénaristes et même à des archivistes). Certains des sujets photographiés n'étant plus de ce monde, leurs photos prennent une valeur inestimable et plusieurs sont intéressés à se les procurer à tout prix.

Personnellement, depuis plus de vingt ans, j'ai accumulé au moins 75 000 photos en noir et blanc et 25 000 diapositives en couleurs. Au fil des années, tous ces documents ont été rigoureusement classés par ordre chronologique et regroupés selon des thèmes généraux (ex.: les arts, les animaux, l'environnement, la politique, la religion, etc.) et des sujets plus précis (sous la rubrique "politique", on retrouvera: fédérale, provinciale, municipale, premiers ministres, ministres, députés, édifices gouvernementaux, etc.). Ce système de classification est simple mais très efficace. Il permet de repérer rapidement une photographie particulière et vous offre un inventaire précis de vos travaux. Il peut être gardé à jour facilement à la seule condition de ne jamais prendre de l'arrière, c'est-à-dire laisser la pile de photos non classées dépasser une hauteur de 5 centimètres! Autrement, vous êtes faits!

On ne saurait trop insister sur les avantages qu'offrent les diapositives en couleurs. Théoriquement, j'irais même jusqu'à dire qu'une photothèque ne devrait être constituée que de diapositives en couleurs. Celles-ci, en effet, peuvent satisfaire les demandes de photos en noir et blanc, tout autant que les commandes de photos en couleurs, puisqu'il suffit de changer de matériel de tirage pour obtenir une photo en noir et blanc à partir d'un original en couleurs. L'inverse est de toute évidence plutôt difficile à réaliser, à moins d'avoir des talents semblables à ceux de Walt Disney!

Certains photographes opèrent à partir de planches de contact. Personnellement, je préfère développer mes photos au jour le jour, en utilisant le format 20 X 25 cm. J'ai pris l'habitude de les classer aussitôt, de même que les négatifs correspondants, sachant que le temps et le courage risquent de manquer plus tard pour mettre mon classement à jour.

Pour faciliter encore le repérage des photographies, on peut constituer un index ou établir une liste détaillée de tous les sujets traités. Cela fait, il ne reste plus qu'à faire connaître aux intéressés l'existence de sa photothèque.

Je vous recommande de rédiger une fiche technique (Où? Quand? Comment?) pour chacune de vos photos, d'indiquer à l'endos, au moyen d'un sceau, vos nom, adresse et numéro de téléphone et d'inscrire, tel que souligné plus haut, le type de droits auquel chacune est sujette. Ces précisions servent à la fois le vendeur et l'acheteur. Tirez toujours la surface entière du négatif et laissez *une bordure blanche* autour des photos. De cette façon, l'acheteur pourra choisir le cadrage qui lui semble le plus convenable et inscrire les mesures correspondantes dans la marge.

Avant de mettre vos photos à la poste, attachez beaucoup d'attention à leur empaquetage. Vos photos doivent arriver à destination en bon état et de plus, le client remarquera le soin que vous avez accordé à leur présentation. Les photos doivent toujours être placées par paires, dos à dos, pour éviter que l'encre de l'estampille ne tache les émulsions. On les glisse ensuite entre deux cartons rigides pour s'assurer que le colis ne sera pas endommagé en cours de route. Les deux cartons, entourés d'un ruban gommé, sont insérés dans une enveloppe. Question de courtoisie, chaque colis devrait contenir une enveloppe timbrée, pour le retour des photos après leur utilisation. Ces deux enveloppes doivent porter, bien en vue, et de chaque côté, l'inscription "PHOTOS, NE PAS PLIER". Il est préférable de choisir, pour de tels envois, le courrier de première classe. Si pour satisfaire une demande urgente, vous utilisez les services d'un taxi, prenez la précaution de noter le nom du chauffeur, le numéro d'immatriculation de son véhicule et, le cas échéant, le nom de la compagnie pour laquelle il travaille.

L'envoi par la poste de diapositives en couleurs requiert la même attention. Les diapositives sont rangées dans des pochettes conçues à cette fin, préférables au système de caches comportant des vitres; ces pochettes les mettent à l'abri de la poussière et des égratignures. Identifiez-les une à une, selon un code quelconque ou par numéros (écrits sur les cadres) pour éviter qu'elles ne soient mélangées ou égarées par la suite. Bien que tous les acheteurs vantent la netteté des diapos de format 6 X 6 et même 9 X 12, la plupart s'accommodent cependant du format 35 mm ordinaire.

La paye

Comment doit-on établir ses tarifs? Plusieurs facteurs sont à considérer: le temps consacré à la photographie elle-même et, par la suite, au développement des films et au tirage; les frais d'équipement et la dépréciation du matériel, les dépenses encourues par le laboratoire, le prix du film et du papier photographique, les coûts consécutifs aux déplacements (dépréciation de l'auto, assurances, etc.) et dans certains cas, les frais qu'entraîne l'embauche d'un modèle professionnel ou la réalisation d'un décor particulier et même le salaire que certains s'allouent pour avoir employé leur sens créateur...

Pour évaluer un projet photographique, il faut tenir compte, selon la situation, de l'un ou l'autre de ces facteurs ou de leur ensemble et parfois, de certains éléments supplémentaires.

De façon générale, le tarif horaire est de $15.00, soit environ $150.00 par jour. Bien sûr, dépendant de la notoriété et de l'expérience du photographe ou de l'importance du travail, ce tarif peut être légèrement diminué ou dépasser de beaucoup la normale. Il inclut habituellement le prix de la ou des photos elles-mêmes, peu importe leur nombre.

Quel montant charger pour une photo en noir et blanc provenant de sa photothèque? Certains photographes hésitent à vendre une "photostock" pour plus de $20.00 parce que, de l'avis de plusieurs, une photo "déjà faite" vaut bien moins cher qu'une autre. En consentant à ce marchandage, on oublie que les dépenses qui ont été encourues pour réaliser cette photo doivent être défrayées au même titre que les autres, à condition bien sûr que la photo n'ait pas été utilisée précédemment. D'autres photographes vous diront au contraire, qu'ils ne cèdent jamais une photo pour moins de $50.00 et que ce chiffre est une juste évaluation de leur travail.

Et que penser de ceux qui vous disent, en se moquant fort heureusement, qu'une photo, ça ne vaut pas plus cher que le temps mis pour la réaliser, soit... 1/500 de seconde!

Une chose est certaine: l'époque des photos vendues à $5.00 ou $10.00 l'unité est définitivement révolue.

Il est bien évident que les chiffres mentionnés ici ne sont pas fixes et qu'ils doivent être adaptés en fonction des situations particulières du photographe et du client. Cependant, la tarification doit être établie à la juste valeur des services rendus; négocier des prix trop élevés ou même trop bas, sans motif valable, risque de nuire à la réputation du photographe, sinon à celle de la profession elle-même.

L'équipement

L'outil de base incontestable demeure l'appareil-photo de format 35 mm. Il permet de réaliser au moins 95% de tous les travaux photographiques. On apprécie sa versatilité, son peu d'encombrement, sa légèreté et son automatisme; l'appareil 35 mm est souvent le seul qui assure la mobilité nécessaire à l'exécution de certaines prises de vue et il favorise la diversité des travaux. L'équipement comprend un éventail de films en noir et blanc et en couleurs, des objectifs de toutes catégories et divers accessoires qu'il serait trop long d'énumérer ici.

Évaluons plutôt l'équipement de base, sans tenir compte des différentes marques puisqu'à prix égal, leurs produits se valent à peu près tous.

— appareil 35 mm avec objectif normal 50 mm $400.00
— objectif grand angle 20 ou 24 mm $200.00
— téléobjectif 135 mm $200.00
— moteur d'entraînement $150.00
— flash électronique à tête basculante $200.00
— trépied téléscopique . . . . $ 75.00
— filtres, déclencheur souple, sac fourre-tout . . . . $ 50.00
$1 275.00

Note: Les objectifs "zoom" ne semblent pas encore avoir conquis la majorité de la clientèle professionnelle. On leur reproche certains défauts concernant la luminosité et l'écart entre les focales. On attend toujours le fameux 24 mm/135 mm.

D'après les chiffres mentionnés plus haut, le photographe devrait s'attendre à un investissement de base de quelque $1 275.00. S'il compte installer en même temps sa propre chambre noir, il lui faudra disposer du double de cette somme.

Conclusion

Si on considère qu'en Occident une personne sur trois fait de la photo, le pourcentage, si minime soit-il, de ceux qui ambitionnent tous les jours de convertir ce hobby en métier représente quand même un grand nombre de gens. Est-il besoin de préciser alors que c'est la compétence qui décidera de la durée et du succès de la carrière de chacun...

Exemple d'un code d'éthique.

CODE D'ÉTHIQUE DE L'A.C.P.I.P.

L'A.C.P.I.P. a pour but principal d'améliorer les relations entre l'Artiste et le client. Le terme "Artiste" employé ici et ailleurs dans ce document représente les membres de l'A.C.P.I.P. dans le domaine des communications visuelles telles que la photographie, l'illustration, les arts graphiques, le film et la télévision.

L'A.C.P.I.P. soutient que des différends peuvent être évités lorsque, avant de commencer son oeuvre, l'Artiste soumet à son client, par écrit, une déclaration claire et précise des droits qu'il accorde dans son oeuvre et le coût de cette dernière.

À ces fins, l'A.C.P.I.P. a prévu une "Confirmation d'engagement", comprenant deux parties.

Au recto de la formule, figure le contrat passé entre l'Artiste et le client, relatif à l'oeuvre commandée, aux honoraires de base et aux frais.

Au verso de la formule, se trouvent les explications des rubriques figurant au recto. Les divers droits qui peuvent être accordés dans les oeuvres stipulées au recto de la formule y sont énumérés et définis.

Certaines conditions qui s'appliquent au contrat sont également précisées.

La confirmation, les définitions et les conditions qui s'y appliquent constituent le contrat dans son entier lorsque la formule est signée.

L'A.C.P.I.P. recommande de veiller à ce que les deux parties ont bien lu les deux côtés de la "Confirmation d'engagement" et y ont bien donné leur accord.

LES COMMANDES D'OEUVRES

Les commandes d'oeuvres passées avec l'Artiste ou son agent doivent faire l'objet d'un contrat écrit nommé "Confirmation d'engagement" qui doit stipuler la description de l'oeuvre, la concession de droits, l'avis sur les droits d'auteur, les honoraires de base, les frais de production et la date d'achèvement de l'oeuvre.

UTILISATION DE L'OEUVRE

Le droit du client d'utiliser l'oeuvre faisant l'objet du contrat est limité à celui spécifié dans le paragraphe "Concession de droits" au recto de la "Confirmation d'engagement".

Toute autre utilisation de l'oeuvre par le client peut faire l'objet d'une action en justice.

Dans le cas où le client désire faire une utilisation supplémentaire de l'oeuvre, il doit passer un nouveau contrat avec l'Artiste et remplir une nouvelle "Confirmation d'engagement".

Alternativement, les deux parties peuvent amender l'original de la "Confirmation d'engagement" afin d'y inclure la nouvelle utilisation.

MODIFICATIONS ET RÉVISIONS

Pour toutes modifications ou révisions, le client doit consulter l'Artiste.

Toute modification ou révision commencée par une autre personne que l'Artiste ou son représentant exige une confirmation supplémentaire, par écrit, et l'Artiste a droit dans ce cas à une rémunération additionnelle.

Aucune rémunération n'est due pour une modification ou une révision rendu nécessaire par des erreurs faites ou causées par l'Artiste ou son agent.

C'est à l'Artiste qu'il convient en premier lieu de faire les modifications ou révisions.

OEUVRE COMPRÉHENSIVE, EXPÉRIMENTALE OU PRÉLIMINAIRE

Une telle oeuvre ne peut être reproduite qu'avec le consentement de l'Artiste et doit être achetée par le client à des taux correspondant à une oeuvre artistique terminée.

Cette oeuvre demeure la propriété de l'Artiste et doit lui être retournée sitôt après l'utilisation convenue de ladite oeuvre.

ÉCHANTILLONS DE L'OEUVRE

Tout échantillon soumis par un Artiste ou son Agent à un client possible, ou de toute autre manière, demeure la propriété de l'Artiste. Ces échantillons ne doivent pas être reproduits sans le consentement de l'Artiste et doivent lui être retournés promptement et dans les mêmes conditions sitôt après l'utilisation qui en avait été prévue.

Aucun client, aucun agent ou aucune personne formellement associée avec l'Artiste n'a le droit de continuer à utiliser les échantillons après la cessation de l'association, sans l'autorisation expresse de l'Artiste.

RETARD DANS LA LIVRAISON

Si l'Artiste prévoit qu'il ne pourra pas terminer l'oeuvre commandée pour la date contractuelle prévue, il doit en avertir le client promptement.

L'Artiste qui ne respecte pas son contrat en ne se conformant pas aux dispositions de la "Confirmation d'engagement" ou en retardant de façon déraisonnable la livraison de l'oeuvre commet une violation du contrat qui peut libérer le client de toutes ses obligations contractuelles découlant de la commande d'oeuvre, sauf accord mutuel des parties.

RÉSILIATION

Le client doit notifier promptement la résiliation du contrat à l'Artiste.

RABAIS, CADEAUX, ETC.

L'Artiste ou ses agents ne doivent accorder aucun rabais ni faire aucun cadeau au client (y compris les agents ou employés du client).

Aucun Artiste ne doit rendre des services gratuitement dans un but spéculatif.

DÉPENSES

Lorsque l'Artiste anticipe d'avoir à payer une importante somme d'argent pour le compte du client dans le cadre de l'exécution de la commande de l'oeuvre, il devrait s'entendre avec le client pour obtenir de lui une somme d'argent à titre d'avance à valoir sur de telles dépenses.

ASSURANCE

L'Artiste et le client doivent être assurés contre la destruction ou la perte de l'oeuvre, résultant d'une négligence ou d'autres causes.

L'interprétation de ce Code d'éthique est régie par le comité de déontologie de l'A.C.P.I.P. qui peut faire des changements ou ajouter des suppléments à sa discrétion.

L'ASSOCIATION CANADIENNE DE PHOTOGRAPHES ET ILLUSTRATEURS DE PUBLICITÉ—A.C.P.I.P.

Le laborantin
par Jean Delisle

Être laborantin, c'est s'occuper de la partie ingrate de la photographie. C'est accepter de travailler dans l'ombre, au propre et au figuré: celle de la chambre noire et celle du photographe. La plupart du temps, en effet, le mérite d'une bonne photo revient uniquement au photographe. C'est la raison pour laquelle beaucoup de jeunes, ambitieux de connaître la fortune et la renommée, refusent le travail de chambre noire et se consacrent plutôt à la photographie proprement dite.

Les qualités requises

Avant d'énumérer les qualités essentielles d'un bon technicien, je dirai tout d'abord qu'il faut aimer ce métier au point d'en être passionné. Si on commence sa vie professionnelle en limitant ses heures de travail, on a peu de chances de réussir une carrière.

Il faut donc être enthousiaste, ne pas calculer son temps et posséder une bonne dose de patience, car le même travail doit souvent être recommencé à plusieurs reprises. Souvent aussi, le technicien est seul entre quatre murs et il n'a pour seul compagnon que son poste de radio; il faut pouvoir s'accommoder de la solitude. L'imagination et l'initiative sont également nécessaires pour faire la composition, corriger les couleurs et décider des contrastes et de la densité (pour le noir et blanc). De plus, il est essentiel de savoir accepter la critique. Même lorsqu'on est soi-même satisfait du produit fini, le client, lui, ne l'est pas nécessairement et ses critiques peuvent sembler sévères et choquantes.

Pour ma part, je crois beaucoup à l'instinct du technicien. Toute la théorie contenue dans les livres de soi-disant experts ne vaut pas le flair d'un laborantin d'expérience.

Mon expérience professionnelle

J'ai toujours vécu dans le monde de la photo. Mon père était lui-même photographe et à l'âge de 14 ans, je travaillais déjà en chambre noire. C'est à cette époque que je me suis rendu compte de l'importance du métier de laborantin. Pendant six ans, dans le laboratoire de mon père, j'ai acquis de l'expérience dans la photographie de presse et de mariage. Ensuite, j'ai abordé la photo commerciale et je me suis aperçu que j'en avais beaucoup à apprendre. Mais grâce à la patience de Maurice Lafrenière (que je n'oublierai jamais) et parce que je n'ai pas eu peur de consacrer des heures et des heures de mon temps à me perfectionner, j'ai grimpé les échelons du métier. J'ai fait de tout dans le laboratoire: du noir et blanc, de la couleur, des plus petits formats aux agrandissements muraux, de la copie de négatifs, de diapositives et aussi ce que la plupart des laborantins n'aiment pas faire, le développement des films. Et je fus probablement le dernier technicien à Montréal à m'occuper de ce qu'on appelle le "dye transfer". Aujourd'hui, cette technique n'est exécutée qu'à Toronto, où la demande est plus grande pour ce type de travail.

Ainsi, j'ai continué à rouler ma bosse jusqu'au moment où, il y a sept ans, j'ai ouvert mon propre laboratoire. Là aussi, je me suis aperçu que je ne savais pas tout et, encore aujourd'hui, j'en apprends chaque jour.

La routine dans un laboratoire

La journée dans un laboratoire professionnel est très bien remplie. À l'ouverture, il y a une foule de gens qui viennent chercher ou apporter de l'ouvrage. Très souvent, il s'agit d'un travail urgent, qui doit être exécuté le jour même. Pendant que des employés prennent les commandes, le gérant de la production distribue le travail aux laborantins et leur donne les instructions quant aux formats, à la composition des photos et au temps dont ils disposent pour les réaliser.

En général, dans les laboratoires professionnels d'importance, les tâches sont assignées d'avance. Par exemple, il y a un technicien qui s'occupe de la qualité des photos; il guide le laborantin pour le choix de l'intensité des couleurs, de la densité et des contrastes du noir et blanc. C'est encore lui qui refuse ou accepte le travail des laborantins. Pour que la qualité soit constante, il est important que ce soit toujours le même technicien qui évalue les couleurs.

Aux États-Unis, dans certains grands laboratoires professionnels, chaque technicien a sa spécialité. Cela peut être, par exemple, le travail commercial, les photos de mariage, le portrait, etc. Une autre personne s'occupe des produits chimiques. Elle vérifie la qualité du développement, l'agitation, la rapidité des révélateurs et elle voit à ce que la regénération des produits chimiques se fasse normalement. S'il survient un début de contamination, elle s'en occupe avant que cela ne devienne catastrophique. Enfin, un employé voit au bon fonctionnement des machines et évite ainsi les pertes de temps. Un autre s'occupe d'acheter les produits chimiques, de tenir l'inventaire et de faire le mélange des produits. Il est important que ce soit toujours la même personne qui fasse ces mélanges.

Le travail de surveillance s'effectue d'heure en heure et un laboratoire professionnel ne peut se permettre de dévier de cette règle.

Les jeunes

Seulement 5% des finissants des institutions d'enseignement professionnel qui désirent devenir photographes professionnels y parviennent et réussissent à bien gagner leur vie.

Ces jeunes ont souvent une très haute opinion d'eux-mêmes; ils pensent tout savoir et demandent des salaires trop élevés pour les connaissances qu'ils possèdent. Quand ils s'aperçoivent que le travail de laboratoire ne ressemble pas à ce qu'ils avaient prévu quand ils étaient à l'école, ils abandonnent pour faire autre chose.

Je préfère souvent engager un jeune qui ne connaît rien en photographie mais qui veut apprendre et qui est prêt à faire les sacrifices que le métier exige.

Quand un débutant me présente son porte-folio, je me montre rarement impressionné, quelle que soit la qualité de ses images. La raison en est simple: les conditions dans lesquelles il a imprimé ses photos ne seront pas aussi favorables sur le marché du travail qu'elles l'étaient à l'école ou dans sa propre chambre noire où aucune pression n'était exercée sur lui. Il a peut-être consacré une heure ou deux à une seule photo alors que le laborantin s'occupe en même temps de plusieurs négatifs de formats différents. De plus, l'étudiant qui travaille à l'école ou chez lui part d'un bon négatif, ce qui n'est pas toujours le cas dans un laboratoire professionnel.

Mes paroles peuvent paraître dures envers les jeunes finissants, mais il semble que ce soit aussi l'opinion des autres dirigeants de laboratoires professionnels. C'est aux jeunes eux-mêmes et aux enseignants à ajuster leur tir pour que la formation professionnelle soit plus conforme aux besoins des employeurs.

Équipement

Il est important d'avoir le meilleur équipement possible, surtout en ce qui concerne les objectifs. Tous les agrandisseurs donnent des résultats comparables, mais l'objectif est la clef d'une bonne photo. Dans le métier, on appelle ça une "lentille corrigée". Un tel objectif donne une grande netteté à l'image, un bon contraste et une meilleure harmonie des couleurs. Quant au choix de l'agrandisseur, cela dépend des goûts du technicien. Personnellement, j'ai travaillé avec plusieurs appareils — Besler, Chromega, Salsman — mais celui que je préfère est le Durst 5 X 7 ou 8 X 10. Il est très rapide au point de vue exposition et très constant dans le rendu des couleurs. En plus d'être solide et très versatile, on peut l'utiliser à la verticale comme à l'horizontale.

Conclusion

Comme vous pouvez le constater, être laborantin n'est pas un métier facile et très peu de gens se rendent vraiment compte de la contribution du technicien à la réalisation d'une photo de qualité. Mais c'est un métier passionnant qui demeure, pour moi, le plus beau du monde.

Le retoucheur
par Harold Laporte

En ce qui me concerne je n'ai jamais pensé à devenir un retoucheur comme tel mais j'ai l'impression que c'est le genre de métier pour lequel on est doué naturellement ou bien on y arrive par malchance.

À mes débuts, je voulais devenir portraitiste. Mes études et les expériences de travail que je recherchais étaient donc dirigées en ce sens. J'ai suivi des cours d'art pour mieux connaître ce qu'était le portrait. Le plus connu des photographes pour lesquels j'ai travaillé est Nakarch, oncle et professeur du célèbre Youseph Karsh. Des amis qui s'orientaient vers le journalisme m'ont également influencé. J'ai toujours trouvé dégradant de devoir courir les accidents et les incendies. J'acceptais mal les catastrophes et la misère. Aujourd'hui, je réalise que je préfère le confort de mon atelier à l'épuisante aventure du photo-journalisme.

Je crois que ce qui m'a poussé à me spécialiser dans ce métier, c'était surtout mes aptitudes pour le dessin. Faire de la retouche m'a servi à remplir les creux monétaires. Au début, je faisais surtout de la retouche de négatifs, pour les différents studios qui m'avaient embauché ou pour d'autres photographes, à travers la province. À l'époque où j'ai commencé, il était plus facile qu'aujourd'hui de faire des retouches majeures sur les négatifs. En plus d'effectuer les modifications courantes qui visaient, entre autres, à faire disparaître les imperfections de la peau, les boutons, les rides, etc., on pouvait, sans trop de difficulté, changer considérablement l'image en ouvrant les yeux, par exemple, ou en ajoutant des cheveux sur les têtes chauves. À ce moment-là, la plupart des négatifs étaient en effet de formats 20 X 25 cm ou 10 X 12 cm et en noir et blanc. Avec l'avènement de la couleur et le rapetissement des négatifs, il m'a fallu développer de nouvelles techniques car j'étais obligé de travailler directement sur les photos. J'ai donc dû apprendre le maniement des pinceaux, des crayons, teintures, aérographes, etc. Ces expériences nouvelles ont bien sûr contribué à élargir considérablement mes horizons.

Mais revenons à ma formation de base. Après avoir fait des études de photo et de dessin, j'ai décidé de suivre un cours de retouche de négatifs à Montréal. J'avoue en avoir montré autant que j'en ai appris. J'ai quand même travaillé une douzaine d'années avec mes vieilles méthodes. Sur un coup de tête, j'ai décidé de m'inscrire à un cours donné par Homer Inglis, professeur à l'école Winona, aux États-Unis. Quand il a su que j'avais dix années d'expérience avec l'ancienne méthode, il m'a assis tout près de lui, croyant bien qu'il allait avoir beaucoup de difficulté à me séparer de mes vieilles habitudes. Il se trompait: je n'étais pas là pour discuter mais bien pour apprendre. Nous avons entretenu de bonnes relations durant toute la durée des cours et même jusqu'à sa mort, en 1978. Son enseignement m'a été profitable et j'ai découvert à Winona une méthode de travail prometteuse que j'allais tâcher d'améliorer encore. Aujourd'hui, je transmets le même enseignement à mes élèves en ajoutant aux techniques de la retouche des négatifs celle de la retouche des photos.

Mais revenons à mon expérience. Je voulais toujours devenir portraitiste, mais de ce côté, ça n'allait pas très fort. Par contre, à cause de mon bagage de photographe complet et de ma connaissance de tous les travaux de chambre noire, j'ai reçu des offres d'emploi de plusieurs grands laboratoires. J'ai donc accepté plusieurs positions comme imprimeur de chambre noir (laborantin), technicien en vidéo, retoucheur de négatifs et de photos. Cette expérience m'a finalement amené à devenir, dans un laboratoire, gérant de trois départements différents. Je m'occupais de la retouche des négatifs et des photos, du travail à l'aérographe, de la préparation des pavés, du montage des photos sur toile et sur bois, en plus de la restauration. J'étais également responsable des photos de l'agrandisseur professionnel, de la correction des photos des machines automatiques (incluant le vidéo) et, très souvent, homme à tout faire. J'ai trouvé ce travail intéressant durant la première année mais par la suite, je me suis rendu compte qu'il ne convenait pas à mon caractère indépendant, d'autant plus que la créativité en était pratiquement absente. Au lieu de faire mes propres photos, j'essayais de prévenir ou de corriger les erreurs des autres. J'ai donc quitté cet emploi et, tout en continuant à faire du travail de retouche, je suis dévenu professeur.

Au début j'étais déçu de constater que la majorité de mes étudiants ne semblaient pas vouloir travailler aussi fort que j'avais travaillé moi-même pour apprendre mon métier. Les jeunes semblent avoir beaucoup d'argent aujourd'hui. Ils n'hésitent pas à s'offrir des équipements complets de marque Hasselblad, Nikon, etc. Mais ils n'ont jamais un sou pour acheter les petites choses essentielles, tels que les crayons à retoucher, les pinceaux,

les teintures, etc. Dans ma classe, le spectacle de l'échange dont ces outils font l'objet rendrait fou le brocanteur le plus aguerri. Ils n'ont évidemment jamais le temps de fabriquer un stand de retouche ou un porte-crayon. Le pourcentage de ceux qui veulent vraiment apprendre est faible. Mais s'il est parfois déprimant de constater qu'il y a seulement 2 ou 3 élèves qui valent l'effort parmi un groupe de 30, il faut considérer que ce petit 10% est précieux.

Actuellement, une partie de mon enseignement porte naturellement sur la retouche des négatifs et des photos, mais les leçons les plus populaires concernent l'éclairage général, le portrait et les poses de groupe. J'ai développé un faible pour les portraits collectifs en travaillant avec un photographe qui avait un don particulier pour les photos de groupe. Johnny O'Neil était surtout un photographe de théâtre. Il a tiré le portrait de tous les grands noms du spectacle des années 50 et 60. On l'a presque oublié maintenant mais je considère qu'il m'a beaucoup appris au cours des années que j'ai passées avec lui.

À propos du matériel

Au départ, on n'a jamais beaucoup d'argent. Comme d'autres, je me suis habitué à fabriquer moi-même une part de mon équipement. J'ai ainsi réalisé une machine à développer le papier et le négatif couleurs, une laveuse en spirale, un tambour grand format, un compresseur pour l'aérographe, un cabinet pulvérisateur et une machine à retoucher. Cette dernière m'a servi pendant une dizaine d'années, jusqu'à ce que j'acquiers du matériel moderne de Homer Inglis. J'utilise par contre encore mon vieux porte-mine et mes pinceaux. Pour la retouche de négatifs, mon équipement consiste en une machine à retoucher, 8 porte-mines, 1 aiguille, 2 couteaux et des morceaux de vitre pour gravures. S'y ajoutent un gros pinceau no 2 de première qualité, des teintures, du mordant, des mouchoirs de papier et une bonne loupe frontale.

Pour la retouche des photos, je me sers de plusieurs pinceaux no 2, d'un ensemble de teintures, d'ouate médicale, d'aérosol retouche, de crayons de couleur Prisma, de pastels, d'une gomme à effacer, de couleurs à l'huile et à l'eau, d'un aérographe, d'un ensemble de compas et tire-lignes, d'une table à dessin avec règle et d'une loupe frontale. Comme on le voit, sur le plan de l'équipement, la retouche est une spécialité qui ne risque pas de vous mettre en faillite. C'est un avantage. L'inconvénient, c'est qu'il faut apprendre à se servir de ses outils et là, pas d'échappatoire: il faut travailler fort! Par chance, c'est passionnant!

Question de technique

Les techniques de retouche ont passablement changé depuis que j'ai commencé à faire ce travail. La base demeure la même et les outils sont restés assez semblables mais on les emploie différemment et les produits se sont améliorés. Ainsi, il y a quelques années, les retoucheurs appliquaient beaucoup de mordant (produit qui permet à la mine des crayons de mordre sur le papier) et, pour obtenir différentes densités, on appuyait plus ou moins fort. Certains retoucheurs fabriquaient leur propre mordant et en gardaient jalousement le secret! Aujourd'hui, on trouve sur le marché un produit équivalent très efficace. Il contient un "avertisseur" qui vous permet de savoir à quel moment il a trop vieilli pour être efficace. On en met très peu sur les photos et, pour obtenir des variations de densité, on utilise des mines de différentes duretés, sans changer la pression exercée sur le crayon, qui doit être la plus légère possible. Cette nouvelle technique est préférable aux anciennes méthodes puisqu'elle permet des retouches beaucoup moins apparentes. Il est également possible aujourd'hui d'appliquer des teintures sur les négatifs en noir et blanc... à condition de savoir manier un pinceau. Pour ma part, et à l'étonnement de mes élèves, j'emploie un gros pinceau (no 2) pour les petits comme pour les gros travaux. Et ça marche! Il suffit, pour obtenir des lignes minces ou larges, opaques ou légères, etc., d'acquérir avec la pratique, le bon tour de main. Les gros pinceaux ont un autre avantage: ils durent plus longtemps que les petits!

J'ai récemment déterré une ancienne méthode: le grattage de l'émulsion à l'aide d'une vitre. Mon professeur de retouche avait développé un couteau spécial que j'aime bien et dont je me sers quelquefois. Je préfère pourtant la vitre parce qu'elle attaque moins la base de plastique.

Un bon nombre d'anciens photographes ont la nette impression qu'en installant un vibrateur sur la machine à retouche, ils améliorent leur travail. Malheureusement, tout ce que le vibrateur fait, c'est d'étendre la mine plus rapidement, ce qui permet de couvrir plus vite une grande surface. Donc, pour faire une bonne retouche invisible, pas de vibrateur!

Pour retoucher les photographies (les tirages, et non le négatif), je me sers de différentes teintures, toujours appliquées avec le gros pinceau no 2.

Il est maintenant possible d'effectuer des corrections de couleur sur une photo mal imprimée. Avec un aérosol spécial, des crayons de couleur Prisma (publicité gratuite) et des pastels, je peux faire exactement ce que les laboratoires appellent du "Super Custom", et pour la moitié du prix qu'ils réclament. Ce traitement peut améliorer un visage, ajouter un ciel bleu et des nuages, reverdir un gazon, ouvrir des yeux, blanchir une dent, adoucir un double menton, etc. La façon de tenir un crayon et de faire travailler la mine joue un grand rôle dans cette technique. Il faut de l'habilité et un sens aigu des couleurs. Mais, là encore, ça s'apprend! Pour restaurer de vieilles photos (car cela fait partie du métier!) je commence par faire une bonne copie de l'original. Cette opération permet de corriger 25% des erreurs, la retouche du négatif en élimine un autre quart, 15% disparaissent au moment du tirage de l'épreuve et les dernières modifications s'effectuent directement sur la photo.

L'aérographe est l'un des outils qui me sont les plus utiles. Il requiert cependant beaucoup d'habileté. Son utilisation peut être comparée à celle du procédé de peinture habituellement employé pour les carrosseries d'automobiles. Pour peindre une auto, on vaporise la peinture en masquant les parties qui ne doivent pas être touchées. Je procède de la même manière pour les photos. Le fusil à aérographe est évidemment de taille réduite et l'outil ressemble à un crayon. Il est actionné par un compresseur à air, et un dispositif spécial permet de contrôler la pression.

Le quotidien

Au cours de mon exposé, je vous ai sans doute laissé entendre que le métier de retoucheur était difficile. C'est vrai. Je ne voudrais cependant pas vous faire croire qu'il s'agit d'une ascèse! Les quelques anecdotes qui suivent vous permettront de constater qu'il ne manque pas d'imprévu et qu'on y vit parfois des situations très drôles.

Un jour une dame âgée, un peu aristocrate, est venue chez moi pour me demander de restaurer une vieille photo de son mari décédé. C'était une épreuve de format passeport. Elle voulait l'agrandir en 28 X 34 et, naturellement, faire enlever les plis du visage. Elle tenait avant tout à ce qu'il porte une cravate et un habit impeccable. Elle exigeait enfin que j'enlève son chapeau. En prenant des notes, je m'arrêtai un instant pour demander à la dame: "Madame, comment était peigné votre mari?" La dame, me regardant d'un air indigné, me répondit: "Mais Monsieur, en enlevant le chapeau, vous allez voir comment il est peigné, non?" Déconcerté, ne sachant pas si je devais rire ou pleurer, j'entendais mon épouse qui, de l'autre côté de la pièce, retenait avec peine un éclat de rire bien justifié. Finalement, j'ai cru bon de lui expliquer que je n'enlèverais pas le chapeau comme tel, mais qu'à l'aide de crayons à dessin j'arriverais à lui restituer sa chevelure. Cela réussit à satisfaire ma cliente. J'ai raconté cette anecdote au cours de conférences qui ont eu lieu peu après. L'imagination aidant, l'histoire m'est revenue quelque temps plus tard avec de légers changements!

On me demande souvent de corriger des erreurs techniques ou des défauts de négatifs. Cette fois-là, on m'apportait une douzaine de négatifs égratignés par l'appareil-photo. Il y avait des rayures en travers des visages, des habits et des robes. Le client tenait particulièrement à ces photos puisqu'il s'agissait de souvenirs de mariage. Une fois le travail terminé, j'ai expédié le tout par la poste, comme d'habitude. Mais le hasard étant ce qu'il est, il a ménagé une recontre dont je me serais passé entre mes photos et des échantillons d'huile boueuse. Il suffisait, pour que la catastrophe éclate, qu'un de nos consciencieux postillons réussisse à briser les contenants d'huile, ce qui, vous le devinez, est arrivé. On m'a retourné mes négatifs et mes photos dans un état lamentable. J'ai fait immédiatement une demande de remboursement au bureau de poste et j'ai obtenu le plein montant. Entre-temps, j'ai reçu une action judiciaire m'accusant d'avoir perdu et brisé ces documents. Cela m'a surpris puisque rien n'était ni perdu ni irrécupérable. Grâce à mes méthodes peu orthodoxes, j'ai pu nettoyer tous les négatifs et les photos, sans même avoir à les réimprimer. Un peu de retouche et tout était rétabli. J'aurais souhaité que la personne communique d'abord avec moi, mais il semble que ce n'était pas le genre de ce petit monsieur. En recevant l'action, j'ai donc tout simplement arrêté les travaux, attendant les événements. Tout aurait pu se régler simplement, sans avocats, mais ce ne fut pas le cas. J'ai été payé deux fois pour un travail que j'avais fait une seule fois!

Il m'arrive souvent de nettoyer terrains et bâtisses sur une photo et de remplacer les fils électriques par des nuages. J'ai produit un jour ce genre de travail et mon client est revenu me voir en s'exclamant que la bâtisse avait été vendue sur présentation de la photographie à un acheteur. Je plains le nouveau propriétaire... et je n'achète plus jamais rien sans le voir!

Conclusion

Après toutes ces années de travail et malgré les moments difficiles, je ressens une immense satisfaction devant une tâche que j'estime avoir bien accomplie en y apportant tous les efforts, la qualité et la compétence dont j'étais capable. L'expérience accumulée, la pratique et la reconnaissance dont mon travail est l'objet me permettent aujourd'hui de sélectionner mes clients et de profiter encore davantage du plaisir que me procure l'exercice de mon métier.

Le portraitiste
par Laurent Cinq-Mars

Intérêt pour le portrait

Il y a quelques années, "Monsieur Kodak", à Rochester,[1] était curieux de savoir quels étaient les sujets préférés de sa clientèle. Il jeta un coup d'oeil sur la production de ses laboratoires et constata que 95% des photos réalisées par les amateurs étaient des portraits de personnes seules, en groupe, ou en gros plan.

La relation de l'homme avec la photographie est donc très narcissique. Depuis des milliers d'années, l'être humain est attiré par sa propre image et cherche à se représenter à son avantage, d'abord par le dessin sur pierre et par la fresque, ensuite par la statue, le bas-relief sur la monnaie et, enfin, par la peinture.

La reconstitution du visage de l'homme sous forme de portrait a toujours été considérée comme le sommet de l'art. Le visage reste pour l'artiste le sujet le plus divers, le plus complexe et le plus passionnant. La variété est infinie puisque chaque sujet est unique.

Au siècle dernier, la photographie, par son exactitude de reproduction, mit fin à la carrière des peintres sans talent ou trop peu doués qui pratiquaient, à prix modique, l'art du portrait. Ce domaine exclusif et précieux, autrefois la propriété du peintre, est ainsi devenu aujourd'hui celle du photographe.

_____

(1) Ville de l'État de New York dans laquelle sont établies les principales installations de la compagnie Kodak.

Malgré le nombre incroyable d'amateurs qui remplissent les albums de famille de leurs propres instantanés, le portrait professionnel joue encore un rôle important dans le monde de la photographie.

Il est évident que le portraitiste capable de produire un travail de qualité en sachant choisir la pose, l'attitude, l'éclairage et l'expression (qui forment une sorte de synthèse à la fois physique et morale du sujet), demeure le créateur indispensable du témoignage précieux que représente le portrait d'une personne à une époque donnée.

Une famille qui inclut parmi ses souvenirs quelques portraits de ses membres exécutés à différentes époques par un professionnel transmet ainsi à la postérité un legs extrêmement précieux. Son portrait est souvent la seule trace tangible qui nous reste d'une personne disparue.

C'est vous dire tout l'intérêt qu'on a accordé au portrait depuis des générations. La première grande victoire de la photographie a été d'avoir su reproduire le visage humain. Les portraits photographiques se sont faits depuis ce jour-là, se font encore aujourd'hui et se feront sans doute aussi longtemps qu'il y aura des hommes.

Donc, si vous choisissez ce métier de portraitiste et si vous le faites avec amour, vous aurez du travail assuré pour toute votre vie. C'est déjà une bonne raison pour entreprendre cette merveilleuse aventure.

Le chemin à suivre

Plus de 90% des photographes sont autodidactes. C'est-à-dire qu'ils ont souvent appris leur métier par le biais de l'erreur, des tâtonnements... et de l'incertitude quant au résultat final. C'est dire aussi qu'ils sont brusquement passés de l'état "amateur" à celui de "professionnel".

Cette transformation brutale amène fréquemment chez eux un phénomène de rejet mental vis-à-vis de l'école de photographie. Ils sont toujours les premiers à affirmer que cette étape de transition est inutile. Combien de fois ai-je entendu dire: "Les écoles, les séminaires et les conférences ne servent à rien; moi, j'ai appris mon métier tout seul."

Quoiqu'on dise, on apprend rarement tout seul. Bien entendu, je ne pense pas que le fait de décrocher un diplôme signifie le succès assuré. Je ne crois pas non plus qu'un cours donne du talent et que les secrets de l'art s'apprennent entièrement dans une école... Mais une bonne formation de base est certainement nécessaire. C'est seulement après l'avoir acquise que vous pourrez tenter vos expériences personnelles, qui seront alors bien plus enrichissantes. C'est probablement ce moment-là qui marquera pour vous le début d'une carrière.

Perspectives d'emploi

Constantes, mais pas faciles! De fait, il devient de plus en plus difficile de se tailler une carrière de photographe. Si vous n'êtes pas engagé par un studio d'importance, vous aurez l'autre choix: ouvrir votre propre atelier et faire face au coût de votre équipement, lequel peut être très dispendieux. Vous devrez attendre que votre travail soit connu et reconnu, pour ensuite servir une clientèle qui est de jour en jour plus exigeante. Il faut avoir de la persévérance pour se faire une place au soleil et, enfin, savoir développer des qualités sûres.

Les qualités requises

L'esprit de création, le sens artistique et celui des formes et des couleurs sont très importants, mais il y a plus. Savoir observer est en effet la qualité essentielle du photographe; c'est aussi la plus difficile à acquérir. Il faut enfin développer une certaine dextérité manuelle pour manoeuvrer efficacement la "quincaillerie".

La réalisation d'un portrait est le résultat de deux composantes bien opposées: 10% de technique et 90% de psychologie. Ce dernier élément est le côté le plus flou et le plus controversé du portrait, bien qu'il soit à la base de la relation qui doit s'établir entre le photographe et le sujet. Quelle attitude prendre avec son sujet? Cela dépendra de la personnalité et des sentiments des deux personnes en présence. Ce qui compte avant tout, c'est l'homme qui est derrière l'appareil, l'homme et sa qualité. Car un homme ne peut faire un portrait de meilleure qualité que lui-même.

Il devra se servir de ses dons et de ses facultés: le cerveau, l'oeil et le coeur. Le cerveau, pour imaginer, juger, réfléchir, inventer. L'oeil, pour observer, regarder, enregistrer. Le coeur, pour sentir, interpréter et aimer. Le tout presque par réflexes et spontanément.

Les activités de chaque jour

Il existe une grande diversité dans les formes que peut prendre l'administration d'un atelier de pose. Cela dépendra du genre d'exploitation que vous aurez choisi.

Est-ce que ce sera un studio de prestige où vous ne ferez que des portraits de caractère pour une clientèle sélecte, dans un endroit élégant? Ou bien, s'agira-t-il comme cela fut mon cas, à mes débuts, d'un atelier de quartier qui offrira des services multiples pour boucler le budget, six jours par semaine et souvent même le dimanche?

Les généralisations sont souvent dangereuses, mais je crois que mon expérience ressemble à celle de beaucoup d'autres. J'ai donc ouvert un studio avec l'intention de me spécialiser dans le portrait. Mais la vie n'est jamais si simple. En plus de faire des portraits à l'occasion d'événements qui étaient chers à ma clientèle (souvenirs de bébés, de première communion, de graduation et de mariage), il fallait aussi copier d'anciennes photos, souvent imprimer des cartes mortuaires, offrir un service aux photographes amateurs, faire des photos de passeport, fabriquer ou obtenir des encadrements, couvrir et courir de petits événements à l'extérieur du studio (baptêmes, réunions d'affaires, accidents), et un tas de choses souvent passionnantes... qui m'empêchaient pourtant de me consacrer à mon but premier, qui était celui d'être un portraitiste!

Heureusement, ayant acquis une clientèle importante, j'ai réussi à me libérer de ces petites tâches. Aujourd'hui, *trente ans après,* je peux me consacrer exclusivement au portrait et travailler comme j'avais toujours imaginé le faire dans ma petite tête de débutant.

C'est probablement une sorte de récompense, après des efforts qui m'ont au moins appris que servir une clientèle et se faire plaisir, c'est souvent deux choses différentes!

Où exécuterez-vous vos portraits?

Portraits à domicile

Il est courant aujourd'hui de faire exécuter les portraits à domicile. Cela complique un peu le travail du photographe, qui doit transporter son matériel chez son client et parfois travailler dans des conditions plus difficiles que dans son atelier de pose.

En revanche, il trouve dans cet appartement un décor approprié et plus personnel dans lequel son sujet ne peut manquer d'être à l'aise, puisqu'il y vit chaque jour. Heureusement, le photographe dispose aujourd'hui d'un matériel compact et facile à transporter.

Portraits à l'extérieur avec lumière du jour

Si le temps est assez beau pour qu'on puisse travailler dans un jardin, un parc ou une forêt, il y a là une occasion de faire de très belles photos. Le décor se prête admirablement à des compositions charmantes, jeunes et romantiques, aussi bien pour le portrait d'enfant que pour celui d'une famille. L'inconvénient, c'est qu'il est impossible de planifier ces séances de pose. De plus, les jours de travail sont limités: c'est la température qui décide!

Pour cette raison, j'ai choisi de réaliser la plupart de mes portraits dans mon atelier de pose, là où je peux contrôler en toute tranquillité toutes les étapes du processus de la prise de vue, à toute heure et en toute saison.

Portraits en studio

Le photographe de studio règle tous les éléments de la prise de vue, il arrange tout, décide tout. Il fabrique de toute pièce son portrait dans le calme de son atelier de pose.

Il choisira ses sources de lumière parmi les éclairages suivants:

— éclairage large (broad), éclairant à profusion le côté du visage le plus près de l'appareil-photo;

— éclairage "papillon" ou frontal, projetant une ombre sous le nez;

— éclairage latéral (split lighting), utilisé à la hauteur du nez, tout indiqué pour une personne portant un chapeau. C'est aussi une lumière à effet;

— éclairage à contre-jour: lumière placée derrière le sujet;

— éclairage "Classique 45°". C'est celui qui éclaire véritablement le visage. La lumière principale est haute, à 45°; elle reproduit exactement la lumière naturelle, rend le relief de la manière la plus agréable pour obtenir l'impression d'espace à trois dimensions.

L'éclairage classique est la lumière que je préfère et avec laquelle je fais la majorité de mes portraits.

À mes débuts, j'utilisais la lumière du jour qui provenait d'une verrière. Vous connaissez probablement cette "lumière du nord" qui remplissait l'atelier. J'ai fait longtemps mes portraits avec cet éclairage, en y ajoutant seulement un réflecteur pour atténuer les ombres trop fortes. Plus tard, la lampe *photo-flood* a remplacé la lumière du jour. Son inconvénient était la chaleur qu'elle dégageait; de plus, par son intensité, elle éblouissait le sujet.

Aujourd'hui, la majorité des photographes emploient la lumière électronique. C'est celle que j'utilise, par réflexion, dans un parapluie de soie blanche qui projette une lumière douce et "modelante". La lumière électronique n'est pas meilleure que la lumière solaire, mais elle est plus commode, plus régulière et plus docile.

Directions de la lumière

Comme nous sommes éclairés par un seul soleil, notre cerveau s'est habitué à reconnaître les objets sous un éclairage provenant du haut et de côté, selon un angle proche de 45° dans les deux sens.

À partir de cette réalité, le dessinateur et le photographe ont l'habitude d'arranger leur éclairage en gardant à l'esprit que la source principale de lumière viendra d'en haut.

Chacun peut inventer sa façon personnelle d'éclairer, mais en tenant compte des lois que je viens de citer. En dehors de cela, l'art de choisir l'emplacement des sources de lumière et leur orientation relève plus de la personnalité du photographe que de la théorie.

Le choix de l'appareil

Les connaissances techniques nécessaires à la réalisation d'un portrait sont relativement simples et peuvent s'apprendre en quelques heures, mais leur mise en pratique durera une vie entière.

Il n'y a pas de trucs, pas de règles, pas de formules, sinon celle d'apprendre à se servir d'un instrument et d'en approfondir les possibilités.

On vous propose aujourd'hui un vaste choix d'appareils professionnels de qualité égale. Autrefois, on vous aurait conseillé avec raison d'utiliser le format 13 X 18 cm ou le 10 X 13 cm; de nos jours, cela a peu d'importance. En effet, plusieurs grands photographes travaillent avec un appareil 35 mm et se disent enchantés des résultats. (Et pourquoi pas!) Pour ma part, j'utilise un RB 15 X 18 cm; c'est une sorte de compromis. L'important, c'est d'aimer travailler avec l'appareil qu'on aura choisi. Et quelles que soient les justifications que l'on se donne pour préférer un

appareil à un autre, on le fait au fond pour toutes sortes de raisons psycho-logiques, souvent pour sa ligne, son poids, ses petits boutons chromés ou sa silhouette... L'appareil qu'on aime n'a pas de défauts!

Je me souviens qu'un professionnel m'avait confié qu'il avait choisi son appareil pour le bruit que provoquait le déclenchement de l'obtura-teur.

Réflexions sur la prise de vue

Ma première préoccupation, c'est de faire un portrait qui corresponde à la réalité du sujet. Comme le visage est toujours le centre d'intérêt, les fonds et les vêtements devront être choisis pour ne pas distraire l'attention du sujet principal: des tons sobres feront ressortir le visage.

Associer les mains au visage donnera une autre dimension à un por-trait. Si un accessoire fait partie de la composition, son importance devra être réduite au minimum et il vaudra généralement mieux le laisser dans l'ombre.

Il est bon d'examiner rapidement, mais attentivement, les traits et l'apparence générale de votre sujet et de vous faire une idée de son âge et de son caractère, afin de déterminer les parties du visage que vous devrez mettre en évidence et celles que vous devrez atténuer en les plaçant dans l'ombre.

Comme dans la majorité des cas on exécute des portraits pour des individus qui sont aussi des clients, on vous demandera habituellement de mettre en évidence les traits les plus flatteurs plutôt que les plus intéres-sants. De plus, on exigera (et c'est un impératif!) que vous fassiez des retouches. Il est souvent regrettable de chercher à atténuer les rides qui marquent le visage d'un homme ou d'une femme d'un certain âge: elles contribuent à faire ressortir son identité. En enlevant ces rides, la photo-graphie deviendra mensongère; vous obtiendrez une "tricherie photogra-phique" qui fera pourtant un "beau portrait", admiré de tous, y compris du sujet.

Pour le client, le portrait sera réussi puisqu'il sera conforme à ses aspirations personnelles. Ce genre de travail fait partie intégrante de mon métier et si j'ai tendance à l'oublier, on s'occupe bien de me le rappeler!

Est-il possible de saisir "l'intérieur" d'un sujet?

Faire un portrait photographique, dans le sens où je l'entends, consiste à m'approcher le plus possible de la vérité; mais le résultat sera toujours une interprétation.

Penser qu'un photographe puisse capter l'essence de la personnalité de quelqu'un qui vient de franchir la porte de son studio et qui restera là juste le temps d'une séance de pose est une des plus belles farces qu'on puisse concevoir. Nos soi-disant grands portraitistes, surtout ceux qui photographient des personnages fameux, essayent pourtant de construire leur réputation sur cette énorme blague!

Nous pouvons seulement tâcher de reproduire de notre mieux la physionomie d'une personne. Quant à sa personnalité véritable, elle est rarement révélée au premier venu (qu'il soit ou non photographe) et, souvent, pas même à la personne elle-même. Comment un homme se voit-il? Comment est-il perçu par sa femme, ses enfants, sa mère, ses amis, son patron ou son photographe? Autant d'yeux, autant de regards. Chacun le voit d'une façon différente.

Nous, photographes, sommes limités par ce que nous pouvons faire dans une seule image, c'est-à-dire montrer seulement un des aspects de l'homme, une des facettes de notre sujet. L'humain est bien trop insaisissable. Je ne crois pas qu'un geste, une pose ou une expression puissent exprimer la totalité d'une personnalité. Sachant cela, je m'applique tout simplement à faire un beau portrait!

Les expressions

Vous avez souvent entendu cette petite phrase: "Maintenant, souriez." Faire sourire, c'est devenu une habitude, presque un impératif. Pour une photo, on devait sourire. Un portrait qui ne souriait pas n'était pas bon. Je me demande encore aujourd'hui pourquoi on insiste tant sur ce sourire qui devient devant l'appareil-photo une expression commandée qui manque de naturel, gonfle les joues et en même temps ferme presque les yeux, forme des plis, montre les dents et souvent les gencives... Et pourtant, on trouve ça beau! Je préfère l'expression sérieuse où les muscles du visage sont au repos et détendus. Le photographe devra être capable de susciter sur le visage de son sujet l'expression la plus favorable, celle qui le rendra simplement agréable ou sympathique.

J'ai remarqué, au musée du Louvre, que sur la totalité des portraits exposés sauf un, le sujet ne souriait jamais. Le fameux sourire de la Joconde est à peu près unique dans toute l'histsoire de la peinture et encore, il est très discret.

Le style

Le style est le résultat d'un ensemble de techniques photographiques diverses, adaptées au goût particulier du photographe et que ce dernier exploitera tout au long de sa carrière en le modifiant plus ou moins.

Quand il devient célèbre, on en arrive alors parfois à lui attribuer l'invention de certains trucs, et si un autre photographe décidait de les utiliser, même par hasard, il se verrait probablement accusé de l'avoir imité. Par exemple d'une photo floue de ton pastel, avec une atmosphère romantique on dira: "Tiens, du Hamilton!"

Avec le temps, j'ai probablement développé un style qui est en fait un ensemble de tons, d'atmosphères, de poses, d'éclairages et d'accessoires que j'ai choisis parmi des centaines de possibilités. Quand vous aurez à votre tour fait vos choix, vous aurez vous aussi votre style.

Avoir un style ne veut pas dire que nous le garderons toute notre vie. Un jour, nos goûts changeront et nous ferons d'autres choix. Alors nous adopterons probablement un nouveau style.

Le cadrage

Une bonne photographie prend encore plus de vigueur par son cadrage, et on trouvera souvent en cadrant un négatif, des qualités insoupçonnées lors de la prise de vue.

Le cadrage sera-t-il serré ou large? Dans certains cas, le cadrage serré pourrait accentuer l'importance d'un point d'intérêt. On introduit ou on supprime; certaines photos en disent trop. Il faut montrer ce qui est essentiel, pas plus, et choisir les éléments absolument nécessaires. Il est toujours préférable de montrer moins que trop.

Les portraits sont habituellement verticaux; ce n'est pas une loi, c'est une habitude. Les photographes portraitistes auraient parfois intérêt à employer des cadrages horizontaux; il y a là une source de renouvellement visuel qui n'est pas à négliger.

En se servant de l'appareil "Magic cropper" on peut, avec une seule photo, s'amuser à en créer plusieurs.

Est-il bon de posséder
son propre laboratoire?

Dans sa publication "Basic principles of business management", la compagnie Kodak nous indique bien clairement qu'un petit laboratoire couleur, pour un studio de moyenne importance, n'est pas rentable. Il est avantageux de faire exécuter votre travail par un laboratoire de l'extérieur; les frais ne seront pas supérieurs à ceux que vous aurez encourus vous-même et souvent, vous réaliserez des économies. L'installation d'un labo, même petit, prendra la moitié de votre capital, argent qui serait peut-être mieux employé ailleurs.

Si j'imprimais mes photos en couleurs, cela me tiendrait prisonnier; mon temps est mieux occupé quand je l'utilise pour déclencher mon obturateur et promouvoir la vente de mes photos. De plus, pour un photographe, être à la disposition de sa clientèle est une chose importante et appréciée.

Mon travail est exécuté par un laboratoire professionnel en qui j'ai toute confiance et dont je suis actionnaire, comme plusieurs de mes confrères.

La décoration du studio

Votre image de marque est aussi importante que la qualité de votre travail. Les possibilités de décoration sont illimitées. Votre première préoccupation sera de mettre en valeur vos échantillons. Étalez vos oeuvres, éclairez-les à l'aide de petits faisceaux lumineux qui fournissent une lumière sélective particulièrement propice à ce genre de décor. Il conviendrait de mettre en vedette une grande photographie, placée en évidence dans un coin intime et qui permettra de guider vos clients dans le choix d'un format.

Si vous pensez manquer de talent pour la décoration, vous trouverez facilement de petits recueils d'idées qui vous montreront comment on peut, avec de la couleur, un bout de papier peint, un tapis et quelques objets, créer une atmosphère chaude et détendue. Que l'ambiance de votre atelier soit l'image impeccable de la qualité de vos services. De plus, travailler dans un endroit plaisant pourra vous donner de l'entrain au moment où vous en aurez vraiment besoin.

Quelques conseils

Si je puis me permettre de vous donner quelques conseils pour obtenir un certain succès, il faudra d'abord:

— Vous consacrer totalement à votre métier, y concentrer toute votre attention.

— Regarder les gens comme si vous aviez à faire leurs portraits. Faites en quelque sorte de la photographie sans appareil.

— Observer les oeuvres des grands photographes, pour découvrir leurs trucs et au besoin les adapter. Nous n'avons pas à être honteux d'apprendre quelque chose de tels maîtres; c'est un petit conseil que plusieurs devraient bien essayer de suivre.

— Et enfin, tâcher de voir votre travail avec un esprit critique, et continuer à apprendre.

Si un jour... par le temps, l'expérience, la persévérance et l'application, vous en savez beaucoup, et qu'on vous demande d'aider vos confrères photographes, alors vous devrez enseigner afin de transmettre ce qu'on vous aura appris.

Enseigner est la meilleure façon de continuer à apprendre. En effet, vous rencontrerez des élèves qui sont des professionnels, qui n'accepteront peut-être pas votre enseignement, qui le mettront en question. Cela vous sera extrêmement profitable et vous forcera sans cesse à réviser et à rajeunir tous vos concepts qui, malheureusement, ont peut-être tendance à devenir vieux jeu.

Les avantages

C'est un travail propre, que vous exécuterez dans un décor plaisant puisque c'est vous qui l'aurez choisi. Vous serez constamment en contact avec des gens. Vous aurez le loisir de faire progresser votre studio selon vos ambitions et la satisfaction de voir vos travaux se perpétuer et devenir des documents précieux. Enfin, la possibilité de création est considérable. Personnellement je considère que la photographie est plus un passe-temps agréable qu'un travail.

N'est-ce pas une façon merveilleuse de vivre sa vie?

Conclusion

Me voilà rendu au terme de mon petit propos sans être capable de vous suggérer une ligne de conduite précise à suivre. La photographie est pour ceux qui la pratiquent une aventure trop personnelle et trop individuelle pour que je puisse vous donner des conseils. Je vous ai livré mes préférences, maintenant c'est à vous de choisir.

Il est entendu que je ne prétends pas avoir exposé toutes les facettes du métier en quelques pages. On a déjà écrit des centaines de livres sur le sujet sans jamais y parvenir. Mon unique but est de vous donner le goût et l'envie d'essayer.

Avoir le goût, c'est souvent le départ d'une carrière.

Le photographe de mariage
par Anthony Bruno

Heureusement pour le photographe, l'institution du mariage n'est pas sur son déclin au Québec. Il suffit de se rendre au Jardin botanique un 15 juillet pour s'apercevoir que les cérémonies traditionnelles, avec la robe blanche et tout ce qui s'y rattache, sont toujours populaires. Et la demande pour la photographie de mariage s'accroît de façon constante. Cette facette de la photo occuperait une place encore plus intéressante si la qualité de la production s'améliorait et si les photographes qui en font prenaient conscience de l'importance des services qu'ils offrent au public.

Comment je suis devenu photographe de mariage

Je me suis d'abord intéressé au cinéma, à cause de la formation que j'avais reçue en Italie. J'ai suivi des cours de cinéma à Radio-Canada et j'ai appris toute la mécanique de la photographie: la technique d'exposition du film et de la prise de vue, l'emploi des objectifs, etc. À ce moment-là, il n'y avait pas tellement de débouchés dans le cinéma et il fallait que je gagne ma vie. Je possédais un appareil-photo; j'ai donc commencé à photographier les gens de mon entourage. Comme la critique était très encourageante, j'ai décidé de continuer dans cette voie.

Avant d'ouvrir mon studio à Montréal, j'ai fait un peu de tout en photographie, même du porte à porte. Cette dernière expérience a duré cinq ans; je ne la renie pas, car photographier environ dix bébés différents en une seule journée constitue une méthode d'apprentissage très efficace. Même si ce genre de travail a ses bons côtés, je ne crois cependant pas que le photographe devrait être tenu de frapper aux portes pour avoir de l'ouvrage. La photographie est un besoin et je préfère que les gens viennent d'eux-mêmes demander nos services.

Quand j'ai voulu abandonner le porte à porte et m'établir à Montréal, je cherchais un domaine dans lequel je pourrais travailler tout de suite. Je n'avais pas d'expérience dans la photo commerciale ou industrielle et je voulais continuer à photographier des gens. J'ai donc ouvert un studio, en 1975, et offert mes services pour le portrait, la photo d'enfant et de mariage. Il ne fallait pas que je manque mon coup et que je sois obligé de fermer au bout de deux ans; je voulais de toute façon me prouver que j'étais capable de faire fonctionner une entreprise. C'est pour la photographie de mariage que la demande a été la plus forte; je m'en suis donc occupé plus spécialement. Et aujourd'hui, j'y consacre environ 90% de mon temps.

Méthode de travail

Dans ce métier, pour qu'un studio soit rentable, il ne faut pas se contenter de photographier un mariage par semaine. De plus, un seul photographe ne peut "couvrir" plusieurs mariages en une journée. J'ai donc pensé à diviser le mariage en quatre étapes et j'ai engagé des assistants. De cette manière, nous arrivons à photographier 5 mariages par samedi. Pour nous, le mariage comprend: la période de préparation au domicile de la mariée, la cérémonie à l'église, le portrait à l'extérieur de l'église et la réception. Mes assistants s'occupent non seulement de la prise de vue, mais de toute la réalisation de la photo: développement, impression, etc. Nous procédons ainsi parce qu'il nous faut maintenir une certaine continuité et qu'on ne peut employer, pour les prises de vue, un photographe qui n'aurait jamais travaillé avec nous.

Environ deux heures avant la cérémonie, je me rends moi-même au domicile de la mariée. Je crois qu'il existe une ambiance affective un peu spéciale dans la famille à ce moment-là et c'est ce que j'essaie de capter sur pellicule.

À l'église, il s'agit plutôt d'un reportage et il est important d'y arriver toujours à temps. Les clients ont été avertis que c'est mon assistant qui s'y présentera. Avec la pratique, celui-ci cultive ses goûts pour ce genre de photos et ses images sont éloquentes. Par la suite, c'est le même photographe qui se rend à la réception du mariage. Moi, je m'occupe surtout des photos avant le mariage et après la cérémonie, à l'extérieur, dans un parc.

Le plus difficile est de garder toujours le même degré de qualité. Par exemple, faire des photos dans une salle de réception où circulent 300 personnes, surtout quand les gens ont un peu bu, cela demande une certaine habileté pour que les images qu'on y fait aient autant de caractère que celles qui ont été prises à la maison ou dans l'église.

À prime abord, cette répartition du travail gêne la plupart de mes clients. Ceux-là, en effet, tiennent à ce que ce soit Anthony Bruno qui photographie leur mariage. Cependant, après leur avoir expliqué notre façon de procéder, ils en réalisent les avantages et sont confiants de la qualité du travail.

L'album de photos est présenté aux mariés à leur retour de voyage de noces. Nous n'imprimons pas les épreuves traditionnelles pour les présenter aux clients; nous composons l'album tout de suite avec les photos retouchées et dans l'ordre que nous choisissons. Si les mariés réservent 50 photos, je prépare un album d'environ 100 photos qu'ils peuvent apporter à la maison pour faire leur choix. Nous n'utilisons aucun moyen de vente sous pression et les clients achètent en moyenne environ 80 photos par album.

La qualité d'une photo

Ce qu'il faut mettre en valeur dans ce type de photos, c'est l'élégance, l'expression des personnes et toute l'atmosphère qui les environne. Le paysage, l'arrière-plan ne sont choisis que pour avantager le sujet.

Au Québec, on ne peut pas dire qu'on trouve des photos de mariage de très haute qualité. Dans 75% des cas, les images ne possèdent pas un fini professionnel. Ajoutons toutefois que la qualité tend à s'améliorer depuis cinq ans. Il n'en demeure pas moins que très peu de photographes s'intéressent vraiment à cette spécialité.

Chez nous, nous sommes six à travailler à plein temps et nous réalisons nos photographies de A à Z. Nous achetons le papier, la pellicule et les produits chimiques mais tout le travail — la chambre noire, la retouche, l'encadrement — est effectué dans notre établissement.

Quand je me suis installé à Montréal, je me suis aperçu qu'il y avait une marge entre ce qui se faisait dans le domaine de la photo de mariage et ce qu'on pouvait réussir. J'avais pu constater lors de mes voyages et de mes visites de diverses expositions à travers l'Amérique du Nord qu'il était possible d'améliorer grandement la qualité de notre production.

Il est bon de s'inspirer d'un maître de la photo, de l'écouter nous expliquer sa technique pour rendre les photos vivantes. Ses photographies nous semblent extraordinaires. Mais les nôtres aussi ont du caractère.

C'est seulement quand on les met côte à côte qu'on constate la différence! Il ne s'agit pas de copier la méthode du maître, mais de découvrir comment s'y prendre pour obtenir d'aussi bons résultats. Ce qu'il faut faire, c'est regarder le contenu, le design, le contraste, la composition, l'atmosphère, et prendre chacun de ces éléments un à un pour faire l'analyse de son image. Il faut éviter les comparaisons. Moi, je me dis: "Est-ce que la composition de ma photo est aussi bonne?" Non pas: "Est-ce qu'elle est la même?" À toutes les questions que je me pose, je n'ai pas encore répondu par l'affirmative. Même si on me dit que notre travail est au-dessus de la moyenne, j'aime mieux penser que je peux encore m'améliorer!

La part de l'imagination

Pour être photographe de mariage, il est capital de posséder beaucoup d'imagination parce qu'il faut constamment se renouveler. Les clients de notre studio forment un cercle. Habituellement, quand une jeune fille se présente chez nous, c'est parce qu'elle a aimé l'album de mariage de sa belle-soeur ou de sa cousine et qu'elle désire bénéficier de nos services pour son propre mariage. Il faut donc, en plus de lui donner un travail de qualité égale ou supérieure, essayer de changer les poses, de prendre des angles différents. Les gens sont fatigués des éternels clichés montrant la mariée devant son miroir, ou les époux, valise en main, partant en voyage de noce, ou encore le couple dansant dans un verre de champagne. Il faut trouver quelque chose de nouveau. Bien sûr, quand on fait 100 mariages par année, c'est difficile de ne pas se répéter, mais en faisant appel à son imagination, l'étincelle finit par apparaître. Il faut avoir une idée au départ; par exemple, dans la maison, prendre des photos à la seule lumière de la fenêtre, pour donner de la chaleur aux images. Ensuite, on se laisse inspirer par les décors particuliers de chaque maison.

Les prix que j'ai eu l'honneur de gagner, je les dois, pour une bonne part, à l'imagination et à l'esprit inventif que montraient mes photos. Ces éléments m'ont sans doute permis de remporter le prix du photographe de l'année au Québec, le trophée du photographe de l'année au Canada en 1979, et dans des catégories de photos bien spécifiques, trois prix au Québec et quatre à Toronto. Sans le vouloir, il est évident qu'une telle publicité amène des clients et je n'ai rien contre le fait qu'un photographe s'en serve pour se faire connaître et grossir sa clientèle. Cependant, pour ma part, je n'en ai pas profité de ce point de vue puisque nos services

étaient déjà saturés. Ces titres ont servi surtout à me situer par rapport à mes collègues. J'étais heureux de voir mon travail reconnu par les gens du milieu.

Les photos de mariage coûtent-elles trop cher?

En général, les gens dépensent beaucoup pour un mariage. Il y a des mariages au Québec où l'on dépense entre $20 000 et $40 000, incluant la réception, l'orchestre, la location d'autos, l'achat de fleurs et les services photographiques. De toutes ces choses, seule la photo reste. À notre studio, nous photographions entre 80 et 100 mariages par année. Cela peut sembler minime, mais il s'agit de gros mariages. Chez les Italiens, par exemple, un mariage peut demander 12 à 14 heures de présence pour le photographe. Même avec un personnel de six employés, on ne peut pas en faire davantage parce que la saison est très courte (de mai à septembre) et parce que nous avons une moyenne de vente élevée. Nos albums comprennent de 75 à 120 photos. D'ailleurs, je ne comprends pas qu'un photographe puisse vendre des albums de 24 photos pour un événement qui a duré 10 heures. Nous prenons de 150 à 200 clichés par mariage... et ce n'est pas trop!

En moyenne, notre revenu brut par mariage, en 1979, est de $2 000 à $3 000. En plus des longues heures passées en chambre noire et du soin minutieux apporté à chaque photo, le photographe de mariage a une lourde responsabilité. Il ne faut pas qu'en pleine cérémonie, un appareil flanche ou un flash reste éteint. On ne peut pas recommencer le mariage. Il faut donc acheter le meilleur équipement qui soit et, quand ils se présentent, résoudre ces problèmes sur le champ, et cela peut coûter de l'argent! C'est pourquoi le prix de nos services, qui ne représente qu'une petite fraction des dépenses totales, nous semble tout à fait justifié.

La confiance

Lorsque la future mariée vient nous voir pour la première fois, on lui montre deux ou trois albums. Pas des albums échantillons, mais de vrais albums qui sont en préparation. Ce que nous voulons voir, c'est si elle aime

ou non ce qu'elle voit. Nous lui expliquons, comme à tous les clients, que la réussite de ses photos dépend d'elle à 50%. Quand les clients font confiance à leur photographe, ils lui apportent une collaboration totale. Il faut dire aussi que la renommée d'un studio ou le nom d'un photographe peut aider à rassurer les gens. Pour ma part, quand je demande à un sujet de prendre telle pose (ou même de monter dans un arbre quand c'est nécessaire), il n'hésite pas. J'oblige quelquefois mes mariés à marcher 1 kilomètre dans un parc, parce que j'ai en tête un endroit précis pour faire ma photo, et ils ne soulèvent jamais d'objections.

L'atmosphère qui existe dans la maison de la mariée quelques heures avant la cérémonie est tout à fait spéciale. Tout le monde est "sur les épines" et la mariée a mille et une choses en tête qui la tracassent. Au moment des photos, il faut faire oublier tout ça. Dans ce but, je complimente la mariée sur sa robe, sur sa coiffure et tout de suite je la sens en confiance. Pour moi, toutes les mariées sont jolies. Je leur dis, je les embrasse. Et le plus beau de l'histoire, c'est que je suis sincère: j'aime voir une mariée! Les gens ne disent plus, comme autrefois, à la mariée qu'elle est belle et bien mise. Moi, je le fais. C'est tout. Et cela m'aide dans mon travail. La spontanéité a du bon!

Chez les mariés, la nervosité est normale. Ceux qui se marient sans aucune émotion, qui se moquent des photos, représentent une catégorie de clients qui ne m'intéressent pas. Je préfère les clients qui sont friands de belles photos.

Difficultés à contourner

Certains prêtres n'aiment pas beaucoup les photographes. Quelquefois avec raison. Si le photographe s'interpose continuellement entre l'officiant et les mariés ou s'il enjambe la balustrade pour aller devant l'autel prendre un cliché, il nuit à la célébration de l'office et parfois même à la dignité du lieu dans lequel il se trouve. Quand je dois travailler dans une église où je n'ai jamais mis les pieds, je vais d'abord rencontrer le prêtre et, après lui avoir dit que je suis le photographe attitré du prochain mariage, je lui demande s'il existe des restrictions quant à la photographie dans son église. Habituellement, tout ce qu'on nous demande, c'est d'effectuer notre travail le plus discrètement possible. Ce que nous faisons. Bien sûr, il arrive parfois à l'officiant de se placer au mauvais moment entre notre objectif et les mariés. Nous n'aimons pas beaucoup cela, mais il faut bien le tolérer: nous ne sommes pas chez nous, mais chez lui.

Les photographes amateurs, eux, nous dérangent énormément. À l'intérieur, par exemple, nous utilisons des flashes multiples reliés par cellule asservie; quand ils prennent une photo, nos flashes s'allument et leur donnent de la lumière qui devrait servir à nos propres prises de vue. Il y a quelquefois des amateurs qui nous suivent partout pour prendre les mêmes photos; ils profitent ainsi de notre équipement technique et restent en possession d'un négatif semblable au nôtre. Parfois, après avoir choisi le meilleur angle et juste au moment d'appuyer sur le déclencheur, un amateur, muni de son Instamatic, va se placer entre les deux mariés. Pour cacher la tête de l'intrus, il nous faut alors modifier notre prise de vue et prendre des angles bas. Pour éviter tous ces embêtements, il est préférable, dès le départ, de leur demander de nous laisser travailler en toute liberté. Que l'amateur prenne ses photos quand le professionnel aura terminé. En fin de compte, en nuisant au photographe professionnel, c'est à sa soeur ou à son frère qu'il nuit par ricochet puisque ceux-ci, par sa faute, auront des photos moins intéressantes.

Les photos de groupes demandent beaucoup de maîtrise de la part du photographe. Il faut s'imposer, se montrer autoritaire. J'ai remarqué que des réflexions comme: "Monsieur, voulez-vous attacher votre veston?" ou "Monsieur, voulez-vous ajuster votre cravate?" surprennent tous les invités et les amènent à vérifier leur propre tenue. Mais comme toujours, dans un groupe, il y en a un qui fait une blague, certains rient, d'autres regardent partout. Il ne faut pas hésiter alors à élever un peu la voix pour dire: "Bon, ça y est, vous avez fini, là? On prend la photo."

La formation

Je crois que c'est par l'entremise de l'Association des photographes professionnels du Québec que les photographes intéressés par la photo de mariage peuvent obtenir la meilleure documentation sur cette spécialité. L'Association organise des cours intensifs portant sur le portrait et la photographie de mariage et invite des photographes de réputation internationale de l'Ontario, des États-Unis et même d'Europe. C'est à nous d'en profiter. Nous n'avons plus à nous déplacer d'un bout à l'autre de l'Amérique du Nord et à débourser des sommes énormes, comme j'ai dû le faire quand j'ai voulu rencontrer des photographes de renom.

Pour devenir membre de l'Association, il n'est pas nécessaire que l'on retire de la photographie la totalité de son revenu. Il existe diverses catégories de membres: membres actifs, membres associés, membres de soutien ou membres étudiants.

Il est préférable de passer par toutes les facettes du métier avant d'en venir à la photo de mariage. Les techniques du portrait sont celles qui s'apparentent le plus à celles de la photographie de mariage. Par exemple, on voit beaucoup de photographes qui prennent une photo des mariés en se tenant accroupis, presque à terre. Cela est contre les règles de la photographie: le portrait doit être toujours pris au niveau de l'oeil du sujet, pour avantager le visage. Évidemment, quand on débute, on ne peut pas se spécialiser dans toutes les catégories: les groupes, les photo-reportages, les portraits. Pour ma part, je me suis attaqué à la "portraiture". C'est l'expression des mariés et l'atmosphère environnante que je cherche à saisir. Il y a tellement de choses qu'on peut faire avec deux visages!

Pour le photographe de mariage, la formation la plus riche s'acquiert encore en travaillant avec un professionnel qui compte plusieurs années d'expérience.

Le côté technique

Chez nous, nous employons l'appareil Hasselblad, à cause de sa haute qualité et parce que les pièces peuvent convenir à tous les appareils que nous possédons. Nous n'utilisons pas le 35 mm parce que nous sommes appelés à produire des tirages 50 X 60 cm ou 75 X 100 cm et nous travaillons avec des négatifs 6 X 6 cm. Comme je l'ai dit plus tôt, nous faisons usage de flashes multiples. Nous préférons le flash électronique manuel McCablitz au flash automatique. Parmi les autres accessoires qui nous sont d'une grande utilité, notons les objectifs de toute longueur focale, les filtres et écrans de flou et les pare-soleil. Nous ne nous servons pas de filtres correcteurs de couleurs ni de filtres pour accentuer les nuages ou autres.

Il y a quelques années, les photographes américains ont mis au point ce qu'on appelle les "environmental photographs". Ce sont des prises de vue faites dans la nature. Pour avoir un bel effet, il faut maintenir le diaphragme presque complètement ouvert. Lorsque je photographie à l'extérieur, je ne change pas d'ouverture de diaphragme. Je règle mon objectif à f/4 et je n'y touche plus.

Dans la photo de mariage, les trucages et les doubles expositions plaisent beaucoup. Cependant, et c'est une règle, nous nous servons toujours

des décors ou objets qui se trouvent sur place. Par exemple, je suis contre l'utilisation d'un même négatif pour tous les mariages: le gros plan d'une rose sur laquelle nous superposons la mariée au centre, ou une bouteille de champagne avec un couple à l'intérieur. Quelquefois, je prends une vue intérieure et une vue extérieure de l'église et je fais un fondu des deux images; ou encore, nous prenons les mariés en face l'un de l'autre, comme deux géants au-dessus de l'autel qui regardent leur propre cérémonie.

Cette année, nous avons reçu beaucoup d'éloges de l'Association des photographes professionnels du Canada au sujet d'une nouvelle technique que nous avons mise au point: les hautes lumières. Il s'agit d'un procédé qui produit une image d'extérieur d'aspect plutôt blanchâtre.

Conclusion

Il y a énormément de possibilités au Québec pour celui qui s'intéresse à la photographie de mariage. Il peut, par la même occasion, posséder une entreprise florissante, puisque le mariage constitue une source de revenus importante. La photographie de mariage peut s'avérer aussi une excellente école pour celui qui s'intéresse au portrait. Il a en effet la chance d'avoir devant son objectif des visages et expressions différentes et des manières d'être typiques qui peuvent être captivants.

Il y a deux ou trois ans, les statistiques nous révélaient qu'il y avait 35 000 mariages par année au Québec. Il y en a sûrement plus aujourd'hui. Donc, le travail ne manque pas, surtout pour les photographes compétents. Plus ils produiront du travail de qualité, plus la renommée de cette profession en sera rehaussée. Il y a beaucoup de sentiments liés à la photo de mariage. C'est une chance pour nous et c'est une des raisons pour lesquelles nous n'avons pas à "pousser la marchandise". Tenant compte du fait que nous fixons sur papier des moments cruciaux de la vie, le prix que nous demandons n'est vraiment pas élevé.

Le photographe d'enfant
par Louise Simone

La photographie d'enfant est l'expression d'un idéal de beauté reproduit dans toute sa simplicité. Tous ces gestes qui s'exécutent naturellement, de façon spontanée et sans cause apparente, cette expression de candeur et d'innocence, représentent la physionomie de l'enfant à son état le plus pur et c'est cette façon d'être que le photographe désire capter dans ses images.

Orientation

Très jeune, j'aimais déjà reproduire ces états d'âme sur une toile. Je ne me lassais pas de voir cette lueur d'espoir et de vie qui renaissait à travers mes peintures.

Au fil des années, le destin me fit rencontrer un photographe. Cet homme, aujourd'hui mon mari, a su répondre à toutes mes aspirations. S'il a été nommé photographe de l'année en novembre 1978, c'est qu'il convoitait ce titre depuis longtemps. Je ne pouvais avoir de meilleur exemple. Il m'a appris cet art qui reproduit exactement les gens et les objets en fixant leur image sur un film ou une feuille de papier. À l'aide de ces nouveaux moyens techniques, j'ai élargi le champ de mes connaissances et découvert des facettes de ma sensibilité que je ne connaissais pas.

Notre cheminement fut long et aride. Au début, nous voyagions beaucoup à travers le Québec; notre travail consistait à photographier les enfants à l'école ou à domicile. Mon rôle principal était de les placer en vue de la photo, de détourner leur attention de tous nos préparatifs et de leur faire oublier l'appareil et le photographe.

La photographie d'enfants d'âge préscolaire m'apportait beaucoup de problèmes. Ce travail exigeait un tact incroyable et une patience infinie;

oublier les pleurs, créer une atmosphère de douceur n'était pas toujours chose facile. Après beaucoup d'efforts, j'arrivais toutefois à faire naître un univers merveilleux où la confiance s'installait entre l'enfant et moi.

Nature et rôle

Dans son attitude envers ses "clients", le photographe d'enfant ressemble au Père Noël. Il rit et fait rire les enfants. Il manifeste son intérêt pour leur monde, s'exaltant devant une poupée de guenilles ou un jouet quelconque, de façon à centrer l'attention de l'enfant sur un autre objet que l'appareil-photo. Au moment où ce petit bout de chou entre dans le jeu et y participe, le photographe peut prendre une série de photos à l'aide d'un câble de déclenchement à distance. Le travail commence enfin, mais voilà que les lumières éblouissantes détournent encore une fois son attention. Le photographe use de ses moyens de séduction les plus puissants. La promesse d'un bonbon est souvent ce qu'il y a de plus efficace.

Comme on peut le constater, la photographie d'enfant demande beaucoup de patience. Souvent, le sujet ne retrouve une expression naturelle et détendue qu'une fois la photo terminée, lorsque l'appareil et l'éclairage ont cessé d'être les principaux centres d'attraction. Pour capter l'expression idéale, il est donc préférable d'amener l'enfant à se concentrer sur une action particulière.

Il est avantageux, dans ce métier, de s'instruire sur le comportement des jeunes. Les livres de psychologie infantile nous informent sur les différentes phases de leur développement et nous conseillent sur la façon de communiquer avec des enfants d'âges différents. D'autres facteurs contribuent aussi à la réussite de la photo idéale. Mentionnons qu'il faut, pour y arriver, développer son sens de l'observation, aimer et être capable de rassurer son sujet et avoir une grande confiance en soi afin de toujours rester maître de la situation.

Il ne faut pas penser qu'une photo s'effectue en quelques minutes. En ce qui me concerne je prends le temps voulu pour obtenir un résultat maximal. L'important c'est d'être satisfait de sa création.

Habillement

Tout ce qui touche la photographie d'enfant est pour moi d'une très grande importance. Je préfère que mes clients prennent rendez-vous avant de se rendre à mon studio. De cette façon, je peux régler certains détails qui touchent particulièrement les tenues vestimentaires. Celles-ci doivent être choisies en fonction du genre de photos que l'on veut faire. Je leur conseille d'apporter des vêtements simples et de couleurs sobres et pour ma part, je laisse souvent l'enfant pieds nus, pour des raisons de confort et parce que cela me semble plus naturel.

Accessoires

Je garde aussi une multitude de petits accessoires de formes et de couleurs discrètes. Ces objets sont placés au second plan, ils ne doivent pas détourner l'attention du sujet principal de la photo, mais plutôt participer à la composition générale de l'image. Ces accessoires peuvent être une tasse de porcelaine et une petite théière; le jeu consistera alors à verser un peu de liquide dans la tasse. Ce peut être aussi un vase dans lequel l'enfant placera quelques fleurs, ou un jeu de blocs de bois qu'il s'amusera à monter, enfin n'importe quel objet susceptible de l'intéresser. On peut aussi utiliser son animal préféré. Les résultats sont généralement très satisfaisants dans ce cas. Les enfants considèrent souvent les animaux comme des amis et des confidents de sorte que leur présence à leur côté, sous forme vivante ou sous celle d'un "toutou" en peluche contribue largement à les mettre à l'aise devant l'appareil photographique.

Procédures et techniques

Avant de commencer la séance de pose, je prends soin de placer mon Hasselblad ELM sur un solide trépied qui me libère les mains et me permet de m'occuper de mon sujet. Lorsque j'estime la pose satisfaisante, je prends la photo grâce au câble de déclenchement à distance. Mon appareil est très pratique: il est motorisé et il se recharge automatiquement après chaque exposition. J'utilise pour la photo d'enfant un objectif 150 mm. Il me permet d'éloigner l'appareil du sujet et l'enfant, de cette façon, arrive à l'oublier plus facilement. J'emploie de la pellicule Véricolor-II 220 de 100 ASA; c'est un film de 24 poses qui me donne des négatifs 6 X 6 cm, ce qui constitue un format très convenable pour le travail que j'ai à faire.

Clair-obscur

Si on choisit de faire un portrait en clair-obscur, c'est-à-dire, une photo aux teintes foncées avec un éclairage fermé, l'arrière-plan devra être plutôt sombre. On peut utiliser une toile très large, peinte de façon abstraite, dont les couleurs se dégradent vers le centre pour donner une teinte légèrement plus claire. De cette façon on réussit à créer une certaine profondeur et à faire ressortir le sujet.

Pour diminuer l'effet de cet arrière-plan, je place une table de couleur foncée devant la toile de fond, à une distance de 1,50 mètre environ. Sur cette table, je dépose ensuite les accessoires ou les jouets qui serviront à la photo. Naturellement, l'enfant doit être vêtu d'habits de couleurs sombres. Enfin, j'assombris les contours de la photo à l'aide d'une vignette brune placée devant l'objectif.

Haute lumière

Si au contraire, je choisis de faire un portrait en haute lumière, donc une photo aux teintes claires et à éclairage très ouvert, j'utilise un rouleau de papier blanc accroché au plafond et qui descend jusqu'à terre; les accessoires doivent être pâles et les vêtements du sujet blancs ou de teintes de pastel. Je prends soin de placer une vignette blanche devant mon objectif, de façon à donner un effet de fondu tout autour de la photo.

L'éclairage est distribué à travers un système photogénique composé de cinq lumières. Deux de ces lumières (projetées sur un plafond blanc) servent de lumières de remplissage et une autre de lumière de fond; les deux dernières sont orientées, l'une sur les cheveux de l'enfant et l'autre, la plus importante, sur le sujet lui-même.

Sujet photographié à l'extérieur

La nature est certainement le lieu idéal pour faire de la photographie d'enfant. C'est dans cet environnement que l'enfant s'exprime avec le plus de naturel. Ici encore, les éléments extérieurs au sujet doivent être minutieusement préparés. Il faut choisir un arrière-plan agréable et non distrayant et un emplacement situé de préférence à l'ombre. La lumière extérieure doit être calculée en fonction du type d'éclairage désiré; la lecture à l'aide d'un posemètre demeure une opération efficace. Il m'arrive par-

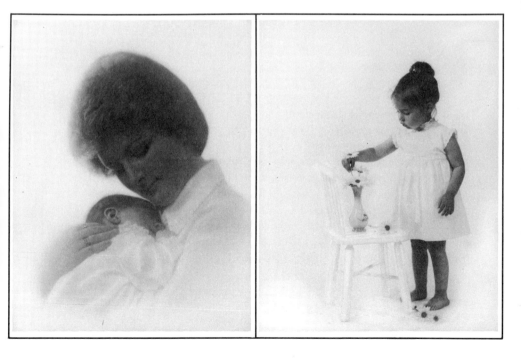

fois de me servir d'un réflecteur; cela me permet d'accentuer l'éclairage aux endroits voulus. J'emploie aussi une vignette brune ou, de préférence, celle que je fabrique moi-même à l'aide d'un morceau de mica sur lequel j'applique un peu de poli à ongle transparent. Ce genre de vignette donne un effet de flou autour du sujet. Lorsqu'on travaille avec des enfants, il faut aussi faire attention à la vitesse d'obturation car si elle est trop lente, l'image risque d'être embrouillée.

Enfin, que ce soit à l'intérieur ou à l'extérieur, la préparation technique doit être complétée avant même d'introduire l'enfant sur le lieu de la prise de vue. Une fois tous les détails réglés, je m'occupe de faire la connaissance de l'enfant et je tâche d'établir avec lui une relation de confiance afin qu'il m'ouvre la porte de son petit monde. Lorsque nous sommes devenus amis, je l'invite à partager mon décor, où l'art peut enfin prendre sa place.

Mère et enfant

Il m'arrive souvent de faire un autre genre de portrait que celui de l'enfant seul. Le cas se présente la plupart du temps lorsqu'une maman désire un portrait de son bébé naissant. J'en profite alors pour faire une photo de la mère et de l'enfant et chaque fois, je remarque avec plaisir toute la tendresse maternelle qui se dégage de l'image.

J'aime bien, pour ce genre de photo, travailler à la lumière d'une fenêtre ou encore faire une composition en haute lumière dans l'atelier de pose.

Traitement de la photo

Lorsque les prises de vue sont terminées, je m'empresse de faire développer les films exposés. J'imprime ensuite les épreuves des négatifs et je sélectionne les meilleures photos. S'il y a lieu, je retouche les négatifs avant de les confier à notre technicien. Celui-ci s'occupe des cadrages et de l'étalonnage des couleurs et il imprime les négatifs sur du papier photographique grâce à un appareillage automatique. Une fois l'opération terminée, j'effectue les retouches finales.

Les négatifs de chaque client sont gardés très précieusement; ils sont numérotés, classés par ordre alphabétique et placés dans un endroit frais et sec pour assurer leur conservation.

Au préalable...

On ne naît pas photographe d'enfant. Dans cette profession comme dans n'importe quelle autre, le hasard et les circonstances jouent un certain rôle dans le choix et la poursuite d'une carrière particulière. Cependant, l'effort de tous les jours, la ténacité et la persévérance sont les qualités de base et les éléments déterminants de la réussite ou de l'échec d'une entreprise. C'est aussi en se recyclant continuellement que l'on peut atteindre et conserver un niveau supérieur de qualité et il faut le faire, ne serait-ce que par amour de son travail!

Établir son propre studio représente un investissement considérable. Pour y arriver, il est nécessaire de travailler continuellement et de se faire un nom. C'est une longue route à parcourir et la compétition est très forte. Enfin, pour devenir un photographe renommé, il faut bien sûr faire preuve de talent et d'originalité.

Institutions

Au Québec, à part les quelques cours de base offerts par les collèges publics et certaines institutions privées, il n'existe pas de maisons d'enseignement spécialisées en photographie d'enfant. Les cours PHOTIQUE qui ont lieu chaque année, incluent la photo d'enfant dans le cadre de leurs activités. Les organisateurs de PHOTIQUE ont recours aux services de spécialistes compétents et ce genre d'enseignement semble très apprécié.

La photographie est une profession exigeante qui demande sans cesse de nouvelles connaissances. C'est une des raisons pour lesquelles je l'ai choisie. C'est aussi, si on sait s'en servir adéquatement un moyen de description efficace. Paul Valéry disait à ce sujet: "Il faut convenir que le bromure d'argent l'emporte sur l'encre dans tous les cas où la présence réelle des choses visibles se suffit, parle par soi seule, sans l'intermédiaire d'un esprit interposé, c'est-à-dire sans recours aux transmissions toutes conventionnelles d'un Langage". La photo peut être d'une telle éloquence que les mots n'ont plus leur place.

Le rôle du photographe d'enfant est de faire vivre son sujet à travers l'image, de capter son expression la plus naturelle et la plus séduisante. Les enfants ont peu conscience de ces objectifs et pour cette raison, ils sont à la fois les sujets les plus photogéniques et les plus difficiles à photographier. Avec beaucoup de patience et d'habileté, il faut réussir à créer un climat de confiance où l'enfant oublie l'étrangeté des lieux et participe au jeu avec tout le naturel et la simplicité qu'on lui connaît.

Le reporter photographe
par Antoine Desilets

Le photographe de presse utilise à peu près les mêmes outils de travail que ses confrères spécialistes du portrait, de la mode ou d'autres domaines. Il constitue pourtant un spécimen à part, tant par la nature de son travail que par les conditions dans lesquelles il l'exerce. Je ne dis pas cela pour nous vanter, moi et mes collègues, mais parce que, pour notre bonheur ou notre misère, il s'agit de la réalité. Contrairement à d'autres spécialités, la photo de presse correspond assez bien à sa légende. Et n'est-ce pas déjà là un phénomène?

Nature et rôle

Dès que l'on parle de "photographe de presse", un scénario du genre de celui-ci vient à l'esprit:

Du fond d'une salle de rédaction enfumée sort un cri: "Coin Dickson et Notre-Dame... Trois alarmes... Pour la deuxième édition...!" Un homme part en coup de vent, lourdement chargé d'appareils-photos qui s'entrechoquent à chaque tournant et saute dans une voiture. Rien pour l'arrêter: conditions climatiques, circulation et parfois même... les feux rouges! La nouvelle "chaude" ne peut souffrir aucun retard. Sur les lieux du drame, une série de déclics à cadence rapide: à gauche, à droite, à plat ventre, en haut d'une échelle... et toujours prêt à rompre le cordon de policiers. De retour au journal, notre type lance son film au technicien du labo en lui criant à son tour: "800 ASA et force-le un peu plus, il faisait sombre!" Le temps d'allumer une cigarette et le voilà reparti... C'est l'histoire classique et c'est à peine une caricature!

On constate aisément que cette discipline de la photo exige souvent beaucoup de ses adeptes. C'est un métier trépidant, essoufflant parfois,

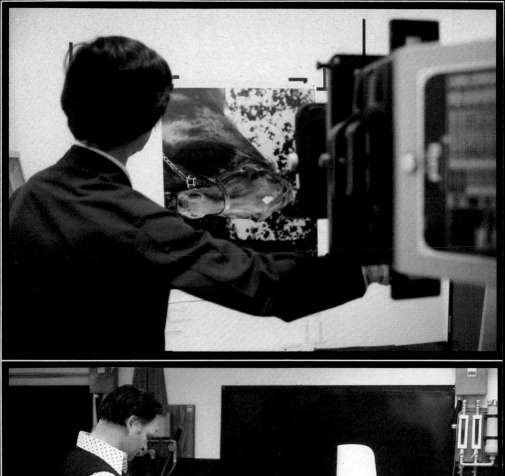

Le portraitiste/Laurent Cinq-Mars

Le photographe d'enfant/Louise Simone

plein d'action, d'imprévu et, trop souvent, de tension... Physiquement, le photographe de presse est généralement petit, d'allure nerveuse, et il travaille avec les réflexes et la rapidité d'un félin. Audacieux, parfois agressif, il ne craint pas, au plus grand mépris du danger, de s'aventurer dans le feu même de l'action; ou encore, se faufilant derrière une porte entrebaillée, il va réaliser trois ou quatre clichés à l'emporte-pièce en donnant, bien sûr, l'impression qu'il n'en est rien. On le rencontre partout où il y a de l'action, aux endroits les plus inusités, qu'il soit permis ou non de s'y trouver. Il n'a d'yeux que pour tout ce qui bouge, toujours prêt à "voler" une photo. La mobilité est vraiment pour lui un mode de vie.

Il fut même un temps où certains de nos "pigeons voyageurs" de la photo opéraient directement à partir de leur auto qui était équipée d'un véritable arsenal de récepteurs de radio et de téléphones mobiles qui leur permettaient de capter la bande des policiers ou des pompiers. Mais les bonnes choses ne durent qu'un temps; le corps policier finit par interdire cette pratique, un peu frustré sans doute, et c'est bien normal, de se voir trop souvent devancé sur les lieux de la tragédie par les photographes de presse!

Certains vont parfois reprocher au photographe de presse de négliger le côté esthétique ou même artistique de ses photos. Les exigences du métier en décident souvent ainsi: on pense, entre autres, au nombre "d'assignations" qu'il peut être appelé à couvrir dans une journée, aux impératifs des heures de tombée (ou "deadlines") qui sont sacrées, etc.

Le photographe de presse est avant tout un chasseur d'images éloquentes, capables, par l'intérêt qu'elles suscitent, de faire la une des journaux. Avant d'être analyste ou interprète, il est en quelque sorte le témoin visuel de tous les événements à caractère souvent spectaculaire et violent qui, dans nos grandes métropoles, agitent et perturbent la vie de tous les jours. Les images, prises sur le vif et sélectionnées judicieusement, illustrent les pages de nos quotidiens, au bénéfice des lecteurs.

Appelé à couvrir dans le même avant-midi des événements aussi divers et singuliers qu'un conflit ouvrier sanglant, une conférence de presse à saveur artistique, une opération à coeur ouvert ou une chasse à l'homme spectaculaire, le photographe de presse est en fait spécialiste en rien et expert en tout. On pourrait donc le définir comme l'omnipraticien de la photo.

Exigences et outils

Comment devient-on photographe de presse? Il est difficile de répondre à cette question puisque, à notre connaissance, il n'existe, au Québec en tout cas, aucune école spécialisée dans ce genre de cours. Rares aussi sont les photographes de presse qui ont en poche un diplôme universitaire quelconque. La plupart du temps, le candidat doit se "fabriquer" lui-même et compter sur ses propres moyens. Bien sûr, pour démarrer, il existe plusieurs écoles de photographie qui permettent, à différents niveaux, d'acquérir les connaissances de base indispensables, telles que la maîtrise parfaite de son appareil-photo et les techniques de chambre noire. Mais, pour le reste, il faut miser sur le temps et la pratique.

Puis vient le jour où, pour la première fois, on se présente à la direction d'un journal dans l'espoir d'y trouver un emploi en permanence ou tout simplement pour y soumettre quelques photos pour fins de publication. Généralement on se fait répondre: "C'est quoi ça?... Ça rime à quoi au juste?... Qui pensez-vous donc impressionner?" Car c'est une chose que de faire des photos de type "archives familiales" et c'en est une autre bien différente que de réaliser des images qui véhiculent une information. L'aspect communication visuelle est la clef de voûte de la profession. Pour qu'une photo soit publiée, elle doit remplir deux rôles: informer et communiquer. Si vos photographies ne remplissent pas ces exigences, il faut retourner sur le terrain pour y parfaire votre formation et accroître votre expérience. Avec un minimum de compétence et beaucoup de patience et de ténacité, vous en viendrez à bout.

Voyons quelques-unes des exigences ou des qualités de base que tout photographe de presse doit posséder.

D'abord, bien sûr, il faut avoir un contrôle total et parfait de son appareil-photo. Le vrai photographe de presse ne pense plus à son appareil; il le manie par instinct. Conscient que certains sujets sont fuyants et qu'il ne lui sera pas donné une deuxième chance de les photographier, il règle souvent son objectif sur l'hyperfocale, privilégie le 1/1000 de seconde, autant que faire se peut, et se tient toujours prêt à appuyer sur le déclencheur. Lorsqu'il se déplace de l'intérieur à l'extérieur d'un édifice, c'est instantanément et comme par réflexe qu'il modifie l'ajustement de son appareil. Le temps ne lui permettant pas toujours de changer d'objectif, il utilise deux ou trois appareils munis chacun d'un objectif différent. Il joue avec les angles, adore pousser la perspective et utilise rarement le flash, à moins d'y être contraint. On le voit vérifier sans cesse si sa pellicule avance correctement dans l'appareil; il change de film lorsqu'il reste dix ou

douze poses avant la fin, pensant toujours que le meilleur est à venir et ne voulant pas être pris de court. Si, en remarquant ces manies, certains observateurs peuvent trouver son comportement bizarre, le photographe, quant à lui, ne s'en préoccupe pas et, la plupart du temps, il n'en est même plus conscient. Sur le plan technique il doit savoir maîtriser et organiser son travail.

Il ne faut pas se surprendre non plus de le voir préférer les appareils complètement automatisés. Ses préoccupations sont avant tout d'ordre visuel et non mécanique. On n'est pourtant pas très loin de l'époque où les photographes de presse n'avaient à leur disposition qu'un seul appareil, gros et lourd: le Speed Graphic 4 X 5 (9 X 12 cm). Heureusement, la miniaturisation a permis l'utilisation des 2¼ X 2¼ (6 X 6 cm) qui connurent, pendant un certain temps, beaucoup de succès. Le début des années 60 a marqué un tournant définitif dans la "quincaillerie" photographique, avec l'arrivée des appareils 35 mm, petits et légers, de manipulation très rapide et assurant à leurs utilisateurs une grande mobilité. L'apparition de ce nouveau format a tôt fait de gagner la faveur des professionnels de la photo, en plus de connaître une grande popularité parmi les amateurs. De nos jours, presque tous les photographes de presse utilisent le format 35 mm. Cet appareil présente de nombreux avantages. Entre autres, on apprécie souvent l'utilisation du moteur d'entraînement du 35 mm. Celui-ci permet au photographe de garder un contact visuel constant avec son sujet tout en le "mitraillant" à courtes rafales, à la manière d'un chasseur.

Ajoutons, à la liste des exigences requises, qu'un photographe de presse doit pouvoir scruter et observer, avec honnêteté et compréhension, tout ce qui l'entoure, afin de dépasser la trop facile "évidence" et réussir à voir à la place de ses lecteurs. Comme son travail doit être effectué rapidement, il lui faut pouvoir comprendre une situation ou analyser une scène en un clin d'oeil et demeurer à l'affût. Est-il nécessaire de souligner, à cet effet, que le port de lunettes, en certaines occasions, risque de gêner les opérations du photographe, au point de devenir une véritable "béquille"?

Inutile enfin d'insister sur la nécessité de connaître, aussi bien qu'un chauffeur de taxi, sa ville, ses rues, ses édifices et ses recoins. Il faut pouvoir accéder rapidement et sans hésitation aux endroits où se passe l'événement. Il faut aussi connaître les hommes politiques, les artistes, toutes les figures publiques en général, et pouvoir les reconnaître, comme de raison! Enfin, au même titre que le journaliste, le photographe de presse doit se tenir au courant des événements politiques, sociaux, économiques et culturels. Bref, il lui faut posséder et même aiguiser un esprit de débrouillardise et d'initiative à toute épreuve ainsi qu'une "culture" visuelle sans faille.

Champ d'activité et débouchés

Les conférences de presse, les campagnes électorales, les interviews, les lancements de livres ou de disques, les ouvertures officielles de ponts, de routes ou d'édifices, l'arrivée d'un personnage important, politique ou artistique, les inaugurations à la chaîne de projets gouvernementaux, municipaux ou privés, les manifestations syndicales ou autres, les feux, vols, accidents, meurtres et j'en passe, tout cela fait partie de la vie quotidienne d'un photographe de presse. Et à chaque fois qu'il quitte le journal pour se rendre sur les lieux de l'événement, le secrétaire de rédaction ne manque pas de lui rappeler qu'il a besoin de "nouvelles têtes" de tel ou tel personnage; c'est alors le signal de départ d'un mitraillage en règle de tout ce qui a une tête connue sur les épaules. Je m'étonne encore de la quantité phénoménale de "binettes" qu'un journal consomme en une semaine! Et il appartient au photographe de presse d'obtenir des gros plans de ces Messieurs-Dames dans toutes les attitudes et expressions possibles. Profitant souvent d'un éclairage déjà préparé par nos bons amis de la télévision et travaillant discrètement au téléobjectif, sans flash bien sûr, il expose de la pellicule en quantité industrielle. Occupés à tout, sauf au photographe, ces personnages deviennent des sujets parfaits, révélant toutes leurs expressions du moment: bonne humeur, inquiétude, exubérance, etc. En d'autres circonstances, il serait difficile sinon impossible de capter ces attitudes avec autant de naturel. Cette "banque de têtes", une fois rigoureusement classifiée, servira à illustrer, appuyer ou renforcer un texte futur.

Est-il nécessaire de préciser que chez nous, au Québec, une certaine pratique veut que, dans l'exercice respectif de leur profession, les photographes n'écrivent pas de textes et que les journalistes ne fassent pas de photos? Inutile aussi d'ajouter que cette pratique est souvent entérinée par les syndicats. À peine si le photographe appelé parfois à se déplacer seul prend certaines notes d'usage quant aux endroits des prises de vue ou aux noms des personnes impliquées, de manière à pouvoir renseigner un peu le journaliste qui écrira la légende ou le texte. Cette pratique de travail "en tandem" (journaliste-photographe) ne devrait cependant pas se perpétuer encore longtemps. Déjà, pour des raisons d'économie fort compréhensibles, on envoie l'un ou l'autre de ces spécialistes à l'étranger pour les grands reportages. On remarque le phénomène dans les magazines mensuels, régionaux et internationaux. Ajoutons que le photographe de presse, salarié et syndiqué, ne peut revendiquer aucun droit sur les photos qu'il a prises pendant ses heures de travail au cours de la période durant laquelle il était à l'emploi d'un journal. En conséquence, ses photos peuvent être publiées et republiées sans qu'il en tire aucun avantage financier ou autre; certains journaux refusent même de faire paraître le nom de l'auteur d'une photo quand il n'est plus à leur emploi. C'est le cas du sous signé...

En plus de leurs photographes permanents, plusieurs journaux font appel à des pigistes. Parmi ces derniers, il en est qui, constamment en "stand-by", travaillent toujours pour le même journal, dans l'espoir, le plus souvent, d'être embauchés un jour ou l'autre comme employés permanents. Une autre catégorie de pigistes regroupe les photographes qui sont à leur compte. Ceux-là décident eux-mêmes des reportages à réaliser. Ils se chargent de la rédaction des textes et de la photographie et ils assument toutes les dépenses de leurs opérations. Ensuite, ils s'adressent aux journaux et aux magazines susceptibles d'être intéressés par leur travail.

À la dizaine de photographes qui font normalement partie du personnel d'un journal à tirage moyen s'ajoute un autre spécialiste qui reste trop souvent dans l'ombre, même si sa fonction est *vraiment* indispensable: il s'agit du technicien de chambre noire, appelé aussi laborantin. Il assure, à une cadence parfois effrénée, le développement de la pellicule et le tirage des épreuves des photos de plusieurs photographes à la fois, ceux-ci étant trop occupés à courir les événements pour faire ce travail eux-mêmes. Certains photographes vous confieront même n'avoir à peu près jamais mis les pieds dans une chambre noire.

Les possibilités de débouchés dans le secteur de la photographie de presse sont très limitées. La relève s'opère lentement; ainsi, à Montréal, on trouve tout au plus une demi-douzaine de postes disponibles par année. À mon avis, ceux qui possèdent la motivation et les aptitudes nécessaires devraient commencer par travailler comme pigistes en s'intéressant aux événements de leur quartier, et même de leur province. Le cheminement peut être long, mais le fait d'être vu un peu partout à travers la ville ou dans les établissements des différents journaux vous aidera sûrement. On apprendra à vous connaître et, le temps et la détermination aidant, vous réussirez à être embauché dans un hebdomadaire de quartier, puis, qui sait, à faire le saut dans un grand quotidien.

À titre d'exemple, et peut-être aussi pour en réconforter quelques-uns, je vais me permettre de terminer ce texte en vous racontant quels ont été mes propres débuts.

Bien décidé à faire une carrière de photographe et soucieux, alors, d'acquérir une solide formation de base, je me suis enrôlé, il y a une trentaine d'années, dans le Royal Canadian Air Force. Il s'agissait d'un des rares endroits où, à l'époque, on dispensait un cours de photo intensif et sérieux.

Je suis redevenu civil avant la fin de mon engagement. J'étais réellement peu disposé pour l'embrigadement, ce qui m'a d'ailleurs forcé à payer une amende pour annulation de contrat... J'avais malgré tout mon diplôme en poche et je croyais, un peu naïvement, que toutes les portes allaient m'être ouvertes...

Amère déception... Après plusieurs semaines de recherches, j'ai réussi à dénicher un petit poste dans un grand laboratoire photographique. Pendant deux longues années, j'y ai développé des films et tiré des photos. À défaut de qualité, il y avait au moins la quantité! Un salaire trop bas, une famille grandissante et le sentiment de ne pouvoir peut-être bien jamais devenir photo-journaliste m'ont amené à tout abandonner et à exercer un métier bien différent de celui dont je rêvais.

En fait, ce n'est que quatre ans plus tard, grâce à un concours de circonstances assez heureux, que j'ai pu réintégrer les rangs de la profession, comme photographe industriel dans une usine de fabrication d'avions. Ce travail, déjà plus intéressant et proche de mon objectif, m'aura appris, entre autres, qu'on en a toujours à apprendre...

Je continuais cependant à faire des demandes d'emploi dans la plupart des journaux de Montréal, entretenant toujours l'espoir de me trouver une situation permanente en photo-journalisme. Un jour, quelqu'un a fini par m'appeler pour m'offrir un poste dans un studio commercial bien connu de Montréal. Une partie du travail des photographes de ce studio consistait à couvrir les faits divers de l'actualité quotidienne et les activités du club de hockey Canadien. Les photos étaient destinées aux journaux Montréal-Matin et Montreal Star. L'occasion rêvée, pensais-je, de faire le saut final dans un quotidien. J'y ai travaillé pendant près de trois ans.

Puis, au cours d'une fin de semaine de juillet 1960, le directeur du supplément de fin de semaine du journal La Presse me proposa un travail particulier. Il s'agissait d'un reportage sur l'inauguration du nouveau système ambulancier de la ville de Montréal. Le tout devait être publié quinze jours plus tard. J'appris, par la suite, que je devais mon premier reportage au fait que nous étions en période de vacances (manque de personnel) et que peu de photographes, à l'époque, aimaient le travail en couleur. C'est pour cela qu'on avait fait appel à des photographes de l'extérieur. Inutile de vous dire que j'y ai "mis le paquet"...

Cela en valait la peine, puisque c'est précisément après cette expérience qu'on m'ouvrit, en permanence, les portes de ce journal...

Et l'histoire continue...

Conclusion

J'aurais aimé élaborer davantage certains des sujets que j'ai traités ou encore en aborder de nouveaux, comme la transmission des photos ou bélinographie, la conservation et le classement en archives des milliers de photos d'un journal, etc. Malheureusement, j'ai déjà rempli l'espace qui m'était alloué. J'espère que ce bref tour d'horizon aura au moins servi à jeter un peu de lumière sur cette spécialisation un peu particulière de la grande famille des "gens de l'image" qui s'appelle la photographie de presse.

Le photographe globe-trotter
par Frank Kristian

Je dois vous avouer une chose: je suis heureux. J'aime la photographie, le dépaysement, les voyages et la beauté. Et j'ai réussi à concilier tout cela de façon à en faire les éléments de base de mon métier. Je suis un photographe globe-trotter. Mais avant de vous parler de mon métier, j'aimerais vous exposer quelques-unes de mes vues sur la photographie et vous donner une idée du genre de connaissance de base qu'il faut avoir pour faire du reportage photographique.

La relation sujet-photographe

Quand vient le moment de faire une photo, je tiens d'abord compte de trois facteurs essentiels: la composition, la profondeur de champ et l'exposition. Pour moi, une bonne photo est un témoignage visuel; elle révèle la relation qui existe entre un photographe et son sujet et l'atmosphère qui s'en dégage. Devant certaines images, je me comporte comme un sculpteur avec de la glaise: je les façonne selon mes goûts. Mais cela implique une connaissance approfondie des techniques de chambre noire.

Les amateurs de photo, pour la plupart, aiment bien photographier la nature, les régions sauvages, les fleurs, tout ce qui est pittoresque. Malheureusement, ils ne semblent pas apporter à leurs photos plus de soin que s'il s'agissait d'un simple travail de copie. Une fleur dans un coin mal éclairé pourrait être transplantée dans un endroit où l'éclairage et le décor la mettraient beaucoup plus en valeur. Les photographes amateurs pensent rarement à tous les détails qui font d'une image une photo réussie. Une bonne photographie se planifie et s'exécute avec soin et l'appareil n'a qu'une importance secondaire: il sert uniquement d'instrument pour transmettre sur la pellicule l'image choisie. Lorsqu'on fait de la photo dans la nature il est possible d'organiser son travail, de prendre son temps, d'attendre l'éclairage idéal. Tous les sujets ne sont pourtant pas aussi dociles. Les fleurs, les arbres ou les paysages peuvent attendre que les conditions les plus favorables soient réunies, mais avec un enfant qui saute devant l'appareil, la façon de procéder est très différente. C'est la rapidité et la qualité des réactions du photographe qui lui permettent de composer ses images. L'appareil ne reproduit pas seulement le sujet qui se trouve devant l'objectif mais aussi la personnalité de celui qui l'utilise.

Quand vous prenez une photo, soyez vous-même. Servez-vous des connaissances acquises grâce à vos cours de photographie, mais ne perdez pas de vue le but que vous vous êtes fixé. Un bon étudiant ne suit pas aveuglément l'enseignement d'un professeur, aussi compétent soit-il. Apprendre à voir les images: tout est là. Les photos sont simplement le reflet de ce que nous voyons. J'éprouve beaucoup de joie chaque fois qu'un de mes étudiants reçoit le prix d'excellence dans un concours de niveau professionnel. C'est là le rêve de tout photographe, pas tellement par goût des honneurs mais parce que cela confirme qu'il a atteint son but: communiquer et provoquer l'émotion et l'intérêt qu'il a trouvé devant un sujet.

Les couleurs, la lumière et les filtres

En général, il n'existe pas dans la nature de couleurs pures parce que l'absorption et la réflexion sont rarement complètes. La plupart du temps, ce qu'on voit est un mélange de couleurs (composées des primaires: rouge, vert et bleu) présentant un ton dominant. Chacun d'entre nous a sa propre perception des couleurs et est influencé à la fois par les couleurs environnantes, l'intensité de l'éclairage, le lustre des objets et son degré personnel de daltonisme.

Sur la photo, les couleurs diffèrent selon le type de films employé. Elles sont également modifiées avec l'usage de filtres. Ainsi, les films en noir et blanc reproduisent les couleurs dans des tons de gris plus ou moins accentués. En utilisant des filtres pour les films en couleurs, nous pouvons changer la qualité de la couleur émanant de la source lumineuse pour obtenir le rendu exact des couleurs ou pour créer des effets spéciaux. La photographie en noir et blanc nécessite plus souvent l'emploi des filtres que la photo en couleurs. On ne trouve pas dans le premier cas les contrastes que nous donnent les couleurs dans la réalité. Ainsi, les films en noir et blanc reproduisent avec à peu près la même teinte deux objets de couleur différente, par exemple un rouge clair et un autre vert vif.

Pour bien faire ressortir le contraste, il faut utiliser un filtre. *Un filtre vert* bloque ou absorbe une bonne partie du rouge réfléchi par l'objet et permet à la lumière verte d'atteindre la pellicule. Ainsi l'objet rouge est sous-exposé ou plus sombre que le vert et le contraste apparaît nettement sur la photo. L'effet inverse est obtenu avec le *filtre rouge*, donnant à l'objet rouge un ton de gris plus pâle que l'objet vert, mais le contraste est toujours là. Un *filtre jaune* noircit un ciel bleu et un filtre rouge l'assombrit encore davantage, en faisant ressortir les nuages de façon spectaculaire. Avec la plupart des filtres, on doit modifier le temps d'exposition. La meilleure façon de connaître la correction à apporter est d'en faire l'essai et d'indiquer le résultat sur le rebord du filtre. Il n'est pas prudent de se fier uniquement au posemètre, parce que quelques-uns sont moins sensibles à certaines couleurs que d'autres. Avant tout, faites des expériences!

Quand on emploie des filtres avec un film en couleurs, les teintes du filtre prédominent sur celles de l'image. Ainsi, un *filtre bleu* rend les objets bleuâtres et absorbe le jaune. De la même façon, un filtre jaune rend les objets jaunes et absorbe le bleu. Tout à fait simple, n'est-ce pas? Les filtres modifient aussi les couleurs qu'on ne remarque pas à l'oeil. Par exemple, l'éclairage au tungstène projette une lumière très vive. Si nous utilisons un film "lumière du jour" pour photographier une personne éclairée par une ampoule lumineuse, la peau de cette personne paraîtra rouge. Mais si nous ajoutons un filtre bleu devant notre objectif, une partie de la lumière vive sera absorbée et le sujet retrouvera un teint plus normal. Les filtres permettent aussi de réaliser des effets spéciaux intéressants, en modifiant les couleurs des objets.

Tout bon photographe doit connaître les trois propriétés de la lumière: sa qualité, son intensité et sa couleur. Un changement dans l'une de ces propriétés modifie sans contredit le contexte de ce que vous photographiez.

Le photographe doit pouvoir reconnaître toutes les nuances et les subtilités de couleurs qu'offre la nature. Les moindres petites taches que certains discernent dans un paysage sont importantes. Si on ne les perçoit pas, on ne peut pas s'en servir.

La lumière du jour passe par une infinité de couleurs et personne ne voudrait changer cette réalité. Qui songerait à utiliser un filtre quelconque pour photographier un superbe coucher de soleil? Mais si vous prenez en photo une mariée dans un parc, vous souhaiterez neutraliser les réflexions vertes sur son visage et sa robe. Ou bien, si vous photographiez une scène d'hiver et que la neige projette une réflexion bleue, vous aimerez conserver cette réflexion qui ajoute à la sensation de froid.

Quelques techniques

La double exposition

La nature permet un éventail infini de photos. Imaginez ce paysage d'hiver: une vieille maison de ferme entourée de grands pins enneigés et la neige qui tombe abondamment. Il n'est pas facile de reproduire cette image et de capter les principaux éléments. Dans un cas semblable, je fais une double exposition. J'installe mon appareil sur un trépied, je centre bien l'objectif sur la ferme et je déclenche l'obturateur. Sans faire avancer le film, j'arme de nouveau l'obturateur. Maintenant, je mets mon objectif au point sur les flocons de neige qui tombent, à 3 ou 4 mètres devant moi; la ferme est alors légèrement hors foyer. Je déclenche à nouveau et j'obtiens une photo qui pourrait ressembler à un tableau de Krieghoff si elle était fixée sur une toile. À cause de la double exposition, la ferme ressort distinctement, de même que les flocons de neige.

La même méthode peut être appliquée pour une prise de vue de pommiers en fleurs au printemps. Pour la première exposition, utilisez la profondeur de champ maximum; pour la deuxième, ouvrez le diaphragme de votre appareil et mettez l'image entièrement hors foyer afin que le rouge et le blanc des fleurs se confondent légèrement avec le vert des feuilles. De cette façon, vous obtiendrez une photo plus intéressante que la représentation classique d'un pommier. Comme je l'ai dit, l'appareil-photo n'est qu'un instrument au service de l'artiste.

La double exposition semble être un art oublié car très peu de photographes prennent la peine et le temps de la pratiquer. C'est pourtant simple, il suffit de se rappeler de maintenir la pellicule en place pendant qu'on arme l'obturateur. Sur certains appareils, cela se fait en appuyant simplement sur le bouton de rebobinage en même temps qu'on arme l'obturateur. Toutefois, il y a une petite difficulté au niveau du temps de pose. On peut la résoudre en sous-exposant d'un tiers de cran à chacune des deux expositions. Si le résultat n'est pas satisfaisant, il est toujours possible de sous-exposer un peu plus. Je ne dis pas que c'est facile, mais c'est une méthode qui donne des photos exceptionnelles. Apprenez à vous servir de la double exposition. Faites-en l'essai au moins à trois reprises: c'est toute une nouvelle aventure visuelle qui vous attend!

Les paysages au clair de lune

Réussir des paysages au clair de lune est un défi que tout bon photographe désire relever. Voici ce que je vous suggère: armez l'obturateur de

votre appareil quand il est encore vide, introduisez un rouleau de pellicule que vous tournez à la main jusqu'à ce que les perforations des côtés atteignent la bobine réceptrice. Fermez l'appareil et tournez le film trois fois, c'est-à-dire l'espace de trois prises. Votre appareil est maintenant prêt à prendre un rouleau entier de clichés de la lune. Faites vos prises de vue par une nuit sans nuages, en utilisant un trépied et un téléobjectif (135 mm, 200 mm ou plus). Pour les 6 premières prises, "placez" la lune dans le coin supérieur gauche de votre image; pour les 6 autres, dans le coin supérieur droit. Passez du cadrage horizontal au cadrage vertical et ainsi de suite jusqu'à la fin du rouleau. Notez tout ce que vous faites. Maintenant, rebobinez en faisant attention que l'amorce du film n'entre pas à l'intérieur de la cassette! Joignez vos notes au film et rangez le tout dans le réfrigérateur. Vous avez maintenant un rouleau de 36 prises de vue de la lune. Le seul endroit exposé sur le film est l'emplacement de la lune, le reste de l'image ne l'est pas à cause de la noirceur du ciel. Vous pourrez alors exposer votre film à nouveau pour ajouter un paysage à chaque lune. Toutefois, quand vous replacerez votre rouleau dans l'appareil, procédez comme vous l'avez fait la première fois, en suivant bien vos notes. Pour vos clichés du paysage, ne vous souciez pas de l'exposition initiale de la lune; elle n'influencera d'aucune façon votre seconde prise de vue. Les paysages de nuits d'hiver font habituellement de belles photos parce que la neige réfléchit beaucoup de lumière et les moindres détails du site sont visibles. Pour être sûr de bien réussir, sous-exposez légèrement.

La difficulté que présente la photographie des paysages au clair de lune vient de ce que certaines parties manquent de relief sur de grandes étendues et qu'elles paraissent brouillées et trop sombres sur l'image finale. Vous pouvez simplement enlever les parties sombres du négatif quand vous faites le tirage. Photographier la lune n'est pas difficile, particulièrement si elle est pleine et brillante. Ouvrez le diaphragme de votre appareil à f/4, réglez l'obturateur à 1/125 de seconde avec du film 100 ASA. Le temps de pose pour la lune doit être court; elle se déplace assez rapidement pour paraître floue ou prendre une forme ovale si le temps d'exposition est supérieur à 1/125 de seconde. Pour un paysage où il y a déjà une exposition de la lune, la profondeur de champ doit être importante. Ceci présente une difficulté parce que le temps d'exposition doit être long sans que la lune paraisse floue ou ovale.

Les difficultés du noir et blanc

Il est un autre élément qui, à mon sens, est extrêmement important lorsqu'on veut faire des photographies en noir et blanc dans la nature. Il

112

s'agit des nuances d'intensité du gris. Au début de la photographie, les images étaient en trois tons: le blanc, le noir et un gris moyen. Il fallut attendre près de 100 ans après que Daguerre eut présenté son invention au public pour que les demi-teintes fuyantes qui rendent la photographie en noir et blanc si belle soient vraiment visibles.

C'est seulement à partir des années 30 qu'il y eut sur le marché une pellicule permettant de reproduire des demi-tons presque parfaits, et encore uniquement quand on se servait de 2 bains de révélateurs et de 2 bains de fixateurs. Même avec la pellicule et les papiers raffinés d'aujourd'hui, il est rare de voir une photo en noir et blanc exceptionnelle. Peut-être est-ce dû à la difficulté qu'il y a d'obtenir une copie originale en noir et blanc avec des tons de noir pur et de blanc pur et cinq nuances différentes de gris. Je vous mets au défi de le faire!

Il s'agit pourtant à mon sens d'un exercice essentiel à tout photographe qui entend réussir ses paysages et donner à ses images une précision et une profondeur suffisantes pour rendre toutes les nuances de ses sujets, et atteindre le spectateur dans ce qu'il a de plus sensible, pour lui communiquer l'atmosphère dans laquelle la photo a été prise.

Mon expérience professionnelle

Mais parlons maintenant de ce que je fais. J'y tiens. Non pas parce que je me considère comme quelqu'un d'exceptionnellement intéressant, mais parce que je partage avec tous les autres photographes une passion indéfectible pour la photographie, de sorte que mon métier est évidemment mon sujet de conversation favori!

Professeur de photographie

Je suis actuellement professeur à l'institut de photographie Dawson. J'insiste évidemment beaucoup sur la qualité du travail que je demande à mes étudiants. Mais la photo est aussi un plaisir. Il me semble donc que jusqu'à un certain point, les cours de photographie doivent être donnés sous le signe du divertissement pour être bien acceptés. Il faut que tous les aspects du cours soient intéressants si on ne veut pas que les gens s'ennuient. J'ai d'ailleurs souvent remarqué, tout comme vous je suppose, que les choses agréables s'apprennent plus facilement que les autres. Donc, avant d'assister à un cours, assurez-vous que vous ne vous y ennuierez pas!

Reporter photographe

Mais le professorat n'est pas ma seule activité, au contraire. En photographie, ce que je préfère c'est la nature, les animaux et les régions sauvages. Chaque année, je me rends dans la jungle et les déserts d'Afrique et d'Amérique du Sud pour capter sur pellicule ce que j'y découvre. La formation que j'ai reçue en art du portrait, en photographie architecturale, commerciale, aérienne et industrielle m'aide énormément dans ces voyages. Là, on ne peut compter que sur soi-même et si vous avez l'intention de suivre mes traces, je peux vous donner quelques conseils... car vous en aurez besoin!

Pour devenir un reporter photographe accompli, il faut tout apprendre sur la photographie: le portrait, la photo aérienne, commerciale, architecturale, industrielle, etc. Vous devez savoir comment protéger vos films de la chaleur et de l'humidité, comment sous-exposer pour la photo aérienne quand vous êtes à une altitude élevée. Bien des photographes d'expérience reviennent des pays tropicaux, par exemple, avec très peu de photos utilisables. Ce que j'essaie d'expliquer, c'est qu'il faut sans cesse travailler à apprendre ces choses. Un photographe compétent devrait pouvoir accomplir avec succès n'importe laquelle des tâches qu'on lui confie. Il faut aussi cultiver son intérêt pour nombre de sujets. Il est important de savoir écrire soi-même les textes accompagnant ses photos. La connaissance des langues étrangères est elle aussi pratiquement essentielle.

Voici quelques exemples de ce qu'un photographe voyageur peut être appelé à faire. En 1968, j'ai rempli un engagement à Haïti, sur le vaudou et la fameuse Citadelle du Cap Haïtien, construite par Henri Christophe en 1820. En 1972, on m'a demandé de photographier le cratère du mont Kilimandjaro, point le plus élevé du continent africain. Nous avons mis 6 jours pour escalader la montagne, qui atteint une hauteur de 5 894 mètres. Ensuite, j'ai vécu plusieurs mois avec les Watusi au Ruanda, avec les Pygmées au Zaïre et les Masaï en Tanzanie. En 1976, je suis allé à l'Île de Pâques pour photographier et écrire des articles au sujet des énormes statues de pierre. Au Pérou, j'ai fait des prises de vue du site de Machupicchu et d'autres monuments de la civilisation Incas. Les reportages ont été publiés en anglais, en français et en allemand. Ensuite, je me suis rendu au lac Titicaca, pour faire un travail sur la tribu des Urus, qui vit près du lac le plus élevé du monde. Lors de mon troisième engagement au Pérou, j'ai descendu l'Amazone et vécu deux semaines avec la tribu des Jivaros, mieux connue sous le nom de "coupeurs de têtes" de l'Amazonie. De retour en Afrique, j'ai suivi le trajet de deux expéditions du Dr Livingstone; l'un commençait à Bagamojo en Tanzanie et se terminait à Tabo-

ra et Ujjiji sur le lac Tanganyika; l'autre partait du Cap et traversait l'Afrique du Sud jusqu'à la frontière de Botswana au Guruman (endroit où le Dr Livingstone a épousé Mary Moffet). Je suis resté deux mois, en 1977, avec les Boschimans du désert du Kalahari, où deux émissions de télévision ont été tournées. La compagnie South African Airways m'a choisi pour faire des prises de vue de leur flotte d'avions et des modes d'entretien de leurs modèles 747 et 747 SP. De là, je suis allé à Namibie et Kimberley pour photographier la Côte de Diamant et l'industrie du diamant. De nouveau au Pérou, j'ai fait un reportage écrit et photographique sur les lignes de Nasca, visibles seulement du haut des airs. Le film "Chariots of the Gods" a rendu les lignes Nasca célèbres. On croit que des extra-terrestres auraient atterri autrefois à cet endroit. L'article publié dans le magazine "Évasion" relate ce qui en est réellement et mentionne les recherches que j'ai faites sur ce sujet.

L'année dernière, je suis revenu en Afrique, cette fois en Rhodésie, pour photographier les chutes du fleuve Victoria et les ruines Zimbaboué (là où le roi Salomon et la reine de Sheba auraient soi-disant trouvé leur or). Cette année, j'ai fait des articles sur la tribu des Zoulous d'Afrique du Sud et les civilisations Maya et Aztèque au Yucatan. Ce dernier récit a aussi été publié en anglais, en français et en allemand. Pour le réseau de télévision Canadian Broadcasting Corporation, j'ai photographié 67 chefs d'États à travers le monde, photos qui furent utilisées comme image d'arrière-scène durant la diffusion des informations. Au Pérou, j'ai pu prendre des clichés de la fameuse cuisine péruvienne qui ont parus dans plusieurs magazines.

Comme vous le voyez, il faut posséder des compétences plutôt variées pour exercer son métier dans des conditions si diverses et si difficiles! En tout cas, il y a de la variété! On peut se trouver un jour à la grande noirceur, à 1 000 mètres sous terre dans une mine d'or en Afrique du Sud et peu de temps après à bord d'un avion, à faire des prises de vue aériennes des lignes de Nasca, au Pérou, dans la Pampa Colorado, là où il y a des rayons ultraviolets et du brouillard en quantité incroyable. Même les photographes du fameux magazine "National Geographic" ont dû s'y prendre à deux reprises avant d'en obtenir une bonne photo!

En 1976, j'ai été choisi pour être l'un des photographes officiels des Jeux Olympiques de Montréal. Il s'agissait là d'un grand défi, pour ne pas dire plus. J'ai beaucoup aimé mon expérience mais aucun défi et aucune offre, si alléchante soit-elle, ne peut me faire abandonner le domaine de la nature et du monde primitif parce que, dans très peu de temps, il n'existera plus rien de tel.

On voit de par le monde des peuples et des cultures qui disparaissent lentement ou qui sont assimilés par d'autres. Très souvent leurs langues et leurs coutumes se perdent en même temps qu'eux. Comme photographe, je crois qu'il est urgent de consigner sur film et par écrit le plus possible de la vie de ces peuples primitifs: leur façon de danser et de chanter, leur musique, leurs coutumes et leur savoir-faire. Ces civilisations ont mis des milliers d'années à se développer. Nous avons avantage à les connaître avant qu'elles ne disparaissent. La photographie est en ce sens un outil d'information efficace.

Depuis des siècles, des aventuriers, des explorateurs et des voyageurs ont été fascinés par les sociétés primitives. Au cours de mes nombreux voyages et des milliers de kilomètres que j'ai parcourus à travers les jungles et les déserts africains, j'ai appris à estimer et à respecter les tribus et les peuples primitifs. J'ai aussi découvert que la beauté se trouve en toute chose, particulièrement dans la nature à l'état sauvage, et j'ai appris à mieux voir. Ce n'est pas du jour au lendemain que l'on arrive à reconnaître et à estimer la valeur de certaines images. La plupart des gens n'ont pas le temps de le faire parce que leur rythme de vie est tout simplement trop rapide. J'espère que mes photos leur permettront un jour d'élargir leurs esprits et de découvrir d'autres horizons.

Pour un photographe, c'est un défi énorme que d'exercer sa profession dans les régions tropicales. La chaleur et l'humidité constituent à elles seules un problème très difficile à surmonter, parce que la pellicule en couleurs y est très sensible. De plus, les grandes variations dans l'intensité de la lumière et les fortes zones d'ombre créées par le soleil brillant diminuent encore les chances que l'on a de réussir une photo.

Ma dernière tournée photographique en Afrique du Sud a duré deux mois: novembre et décembre 1978. Dans une aventure aussi coûteuse, il est essentiel que tous les films soient correctement exposés. Ce problème est loin d'être insurmontable. J'utilise surtout les films pour photographes professionnels Ektachrome et les appareils 35 mm et 6 X 6 cm. Je les protège avec des sacs en plastique. Je me fie à mon posemètre pour calculer le temps d'exposition, tenant compte des zones d'ombre. De retour chez moi, je développe d'abord un film dans du révélateur E6 en guise de test. Suivant la densité, je fais varier la durée du premier révélateur. Comme l'exposition de tous mes films est la même, il m'est possible de régler le développement de manière à obtenir la densité exacte.

Après examen de mes diapositives, je peux rapidement voir lesquelles je voudrais tirer. On peut obtenir des épreuves de qualité à partir d'internégatifs en couleurs de diapositives et il y a souvent moyen d'améliorer ces

épreuves par rapport à l'original. Depuis 20 ans, je me sers de diapositives 35 mm et 6 X 6 cm pour faire de bons tirages 40 X 50 cm avec un certain succès, puisqu'ils m'ont valu 131 mentions et plusieurs autres prix. Quand les diapositives ont un aspect terne, on peut toujours donner plus de contraste à l'internégatif couleurs en se servant du système de tonalité (zone-system) qui permet de déterminer à l'avance les contrastes voulus dans la copie définitive.

Au cours de mon dernier voyage en Afrique du Sud, j'ai pris environ 2 000 photos et j'aurais pu en prendre 2 000 de plus car la beauté de ce pays ne peut s'exprimer mieux que par la photo en couleurs. Mais il faut vraiment être un maître en la matière pour lui rendre justice. En visitant certaines régions éloignées, j'ai été fasciné par le nombre de tribus primitives qu'on pouvait encore y trouver. Aucune émotion ne se compare à la joie de vivre dans la brousse, près des grands fauves africains. Voir l'Afrique est une expérience inoubliable et difficile à décrire avec des mots, car ce continent est d'une beauté étonnante. Chacun devrait pouvoir s'y rendre au moins une fois dans sa vie! Les tribus d'Afrique et d'Amérique du Sud possèdent une histoire passionnante, qui remonte loin dans le temps. J'ai l'intention d'écrire d'autres articles sur le sujet très bientôt. Pour celui qui désire connaître et comprendre la vraie nature de l'Afrique, ce continent peut lui offrir des aventures de toutes sortes. Et je suis bien décidé à en vivre moi-même autant que je pourrai.

Conclusion

En terminant, je tiens à vous dire combien je suis heureux d'avoir eu le privilège de partager avec vous une partie de mes expériences et de vous présenter quelques-unes des photographies que j'ai prises dans des endroits qui m'apparaissent toujours aussi captivants. Ce sont les pays les plus lointains et les plus difficiles à atteindre qui présentent pour moi le plus de mystère et de beauté.

Le photographe de sport
par Denis Brodeur

La photographie de sport est une des spécialités les plus captivantes de la profession. On compte, officiellement, plus de soixante disciplines sportives différentes, auxquelles peuvent s'intéresser autant le photographe amateur que le professionnel et ceci, en toute saison.

Dans la photographie de sport, on trouve trois types de photographes qu'on peut sommairement définir ainsi. Le premier est le photographe attitré de la section sportive d'un journal. Il prend ses photos en fonction des affectations qui lui sont données par le photographe responsable ou le chef de pupitre. Le second est le pigiste. Étant son propre patron, il essaie de trouver les événements sportifs qui lui seront les plus profitables. Il lui arrive aussi d'exécuter des contrats, avec ou sans directives spécifiques, pour certains journaux, pour des maisons de publicité, des entreprises commerciales, etc. Il peut également travailler dans le simple but d'alimenter sa propre banque de photos. Enfin, il y a l'amateur qui tente, du haut des tribunes, de faire des photos semblables à celles qu'il a l'occasion de voir dans les journaux.

Mon cheminement dans cette carrière

Au cours des vingt dernières années, j'ai eu l'occasion de connaître ces trois spécialistes de la photographie de sport. Aussi loin que je me rappelle, j'ai toujours possédé un appareil-photo et tous mes loisirs étaient consacrés à la photographie: l'hiver, je photographiais mes copains jouant au hockey sur la patinoire extérieure et l'été, c'est sur les terrains de baseball que j'essayais de faire quelques bonnes prises de vue. Les années passaient et je ne possédais toujours qu'un seul appareil. À cette époque, il n'était pas question d'avoir un équipement plus sophistiqué, mais on s'amusait bien quand même. À 18 ans, je m'orientais toujours vers une double carrière dans les domaines du hockey et du baseball, mais je ne délaissais pas pour autant la photographie. Aussi souvent que j'en avais l'occasion, dans chaque ville que je visitais, j'en profitais pour m'adonner à mon loisir préféré. À ce moment-là, j'ai même décroché quelques contrats pour photographier les équipes de hockey et de baseball auxquelles j'appartenais. Ce n'est qu'à l'âge de 25 ans, alors que je jouais au hockey à North Bay, en Ontario, qu'on m'a offert de me joindre au personnel du journal North Bay Daily Nugget, à titre de "photographe général". J'occupai cet emploi toute la saison, mais la vente de mon contrat de hockey à l'équipe de Charlotte, en Caroline du Nord, mit momentanément un terme à ce début de carrière de photographe.

Trois ans plus tard, ayant abandonné le hockey et le baseball, je revins à Montréal. Je fus alors engagé comme gérant de la section sportive du Centre de l'Immaculée Conception. Cet emploi était l'occasion rêvée pour me perfectionner dans la photographie de sport. La majorité de mes photos portaient sur la natation, la gymnastique, le basket-ball, le tennis sur table, le volley-ball, le badminton. Les photos prises au cours des parties ordinaires ou des tournois étaient utilisées dans la publicité du centre. Je développais les films, j'imprimais les photos et je m'occupais de leur distribution aux journaux.

Parallèlement à cette activité, je commençais ma carrière de photographe de presse, mais dans un tout autre domaine: celui des journaux spécialisés dans les activités artistiques.

Ce n'est qu'en 1960, à la demande de Jacques Beauchamp du journal Montréal-Matin, que je me suis lancé dans la photographie de sport, à titre de pigiste. J'ai fait ce travail pendant 14 ans. Ensuite, je suis devenu directeur du service de la photographie de ce journal, poste que j'ai occupé pendant 5 ans, jusqu'à la fermeture du quotidien en 1979. Depuis, je travaille à mon compte, comme photographe pigiste.

Voilà un aperçu de la façon dont s'est déroulée ma carrière. Pour passer de l'amateur que j'étais au pigiste que je suis maintenant, sans oublier la photographie de presse, j'ai dû m'adapter à chaque spécialité en développant des aptitudes spécifiques à chacune d'elles. Voyons ensemble ce que réserve au photographe de sport chacun de ces domaines.

Le photographe de presse

Le photographe de presse spécialisé dans les sports ne travaille habituellement que pour un seul journal. En général, il fait des journées de huit heures et il doit s'attendre à recevoir des affectations très variées. En une seule journée, il peut couvrir une conférence de presse, se rendre au domicile d'un athlète et, enfin, faire un reportage complet sur une discipline sportive quelconque.

Les conférences de presse sont fréquentes; certaines présentent beaucoup d'intérêt, d'autres sont carrément ennuyeuses. On y fait généralement des photos des conférenciers au micro ou de toutes sortes de présentations. C'est là l'occasion pour un photographe de faire preuve d'imagination en expérimentant, par exemple, des angles nouveaux ou une mise en scène différente. Cette recherche permet de réussir des clichés intéressants et originaux et détermine finalement le style particulier du photographe.

En ce qui a trait aux disciplines sportives, elles sont nombreuses: du tir à l'arc au baseball, en passant par la boxe ou le cyclisme, le photographe de sport finit par toutes les toucher un jour ou l'autre. Ce sont les affectations les plus intéressantes, car celui qui choisit cette spécialité doit aimer et connaître tous les sports s'il veut réussir ses reportages.

Bien sûr, sa tâche est facilitée par les nombreux laissez-passer qu'il reçoit en tant que photographe de presse. Ces laissez-passer lui permettent de se rendre tout près de l'espace de jeu et de prendre quantité de photos sur le vif. Il capte ainsi des scènes qui passent inaperçues aux yeux des amateurs assis dans les estrades.

Quand il reçoit une affectation, le photographe de sport doit se préparer physiquement et mentalement afin de répondre aux exigences de sa tâche. Par exemple, si on lui demande de photographier une partie de baseball pour les articles de journaux habituels et de préparer du même coup un reportage illustré sur deux pages, le travail demande une attention particulière. Tout d'abord, le photographe doit faire un examen complet de son équipement, vérifier la propreté de ses objectifs, apporter trois appareils en bon état, un trépied, une quantité suffisante de pellicule et un crayon à pointe de feutre pour marquer les bobines et les enveloppes de film. Il se rend ensuite sur les lieux, en arrivant très tôt car les joueurs de baseball commencent leur mise en condition trois heures avant le match. Il rencontre le chroniqueur de son journal pour savoir si ses articles exigent des photos particulières et il se renseigne en même temps sur les joueurs qui sont susceptibles de se distinguer au cours de la partie ou qui sont sur le point de battre un record quelconque. À la galerie de la presse, il peut obtenir d'autres renseignements et une feuille de pointage où sont notés les noms et les numéros des joueurs des deux équipes. Maintenant, pour figurer dans les pages illustrées du journal, le reportage doit présenter des photos qui plaisent à l'oeil. Pour ce faire, il faut agencer divers types de photos; de là l'importance d'être présent au moment de l'entrée des joueurs sur le terrain avant le début de la partie. Dès cet instant, le photographe peut prendre quelques photos qui s'intégreront bien à celles qu'il aura faites pendant la partie. Quand le match débute, il prend place dans un des espaces réservés aux photographes. En général, on lui laisse le choix entre plusieurs endroits. Dame Chance peut jouer en sa faveur si l'action se passe tout près du lieu choisi. Mais, tout au long de la partie, le photographe peut se déplacer afin de travailler sous des angles différents. Très attentif, il doit anticiper le déroulement du jeu. Pendant un match de baseball, le photographe utilise habituellement deux appareils motorisés, l'un sur trépied, avec un objectif 300 ou 400 mm pour capter les doubles jeux (le foyer étant déjà fait sur le 2ème but) et les jeux au champ; l'autre appareil, muni d'un objectif 135 à 200 mm, sert pour l'action qui a lieu plus près: l'élan du frappeur, les jeux au marbre ou le lanceur sur le monticule. En dehors du jeu lui-même, plusieurs scènes peuvent devenir des sujets de photographie, par exemple, la mascotte du club qui fait son spectacle, le gérant discutant âprement avec l'arbitre, les réactions des joueurs assis sur le banc, etc. Ces photos ont autant de valeur et sont appréciées au même titre qu'une photo d'action. Selon l'heure de tombée du journal, le photographe pourra rester jusqu'à la fin de la partie pour saisir les moments de joie des vainqueurs ou partir à la mi-temps pour aller développer ses films et présenter son travail au chef de pupitre. J'ai parlé du baseball, mais le même travail et la même préparation peuvent être requis pour des affectations concernant bien d'autres activités sportives.

Ce qui déçoit le plus dans le métier de photographe de presse, c'est le fait que parmi la quantité de photos remises au journal, quelques-unes seulement seront utilisées, suivant l'espace qui est disponible. Bien souvent, le choix du journal n'est pas celui du photographe et on aura mis de côté les photos exclusives, les meilleures prises, celles qui ont demandé le plus d'énergie. C'est doublement décevant si on songe que dans ce domaine la concurrence est grande et que l'exclusivité d'une photo vaut son pesant d'or.

Le photographe à la pige

Le pigiste ne profite pas des services qu'offrent les journaux. Il ne peut compter que sur lui-même, et son succès dépend de sa débrouillardise.

Il doit se tenir au courant des événements sportifs et se faire connaître par tous les moyens possibles afin d'obtenir des laissez-passer pour assister aux diverses activités qu'il veut couvrir.

Le travail de pigiste diffère beaucoup de celui du photographe attaché à un journal. Il ne cherche pas à faire le même genre de photos. D'habitude, les photos du pigiste sont destinées à un magazine mensuel ou hebdomadaire, à des maisons de publicité ou encore à des organisateurs chargés de mettre sur pied de grands événements sportifs. Par conséquent, au cours d'une partie de hockey, les photos des faits marquants de la partie, comme celles qui sont prises près du gardien de but, l'intéresseront probablement moins. Il recherchera plutôt une bonne série de clichés représentant par exemple les joueurs d'une équipe assis sur le banc, afin de préparer un grand reportage sur les tensions ou les joies d'une équipe de hockey.

Le pigiste ne travaille pas à heures fixes et doit toujours être prêt à répondre à l'appel d'un client. Il lui faut s'habituer à présenter des reportages, à offrir ses services à différents organismes et à bien établir sa réputation professionnelle en fournissant un travail de qualité et un service impeccable.

Pour répondre aux nombreuses exigences de ses clients, il doit posséder un équipement des plus complets afin de pouvoir faire face à toute éventualité. Il a aussi besoin de sa propre chambre noire, pour être en mesure d'y travailler à toute heure du jour, car plusieurs clients exigent leurs photos le jour même ou tôt le lendemain de la prise de vue. Son équipement doit comprendre plusieurs appareils motorisés 35 mm, un appareil 6 X 6 cm, des flashes électroniques et une gamme complète d'objectifs (du grand angle au téléobjectif). Il lui faut bien sûr, connaître parfaitement toutes les pièces de son équipement pour pouvoir les manier aisément.

Mais de grandes déceptions attendent le pigiste. Pour une raison ou une autre, un reportage préparé avec soin peut être refusé par le client. Ou encore, une erreur de sa part ou de celle du laboratoire peut réduire à néant le fruit d'un long travail. Une telle situation risque d'arriver n'importe quand et il n'est jamais agréable d'en informer le client. Dans bien des cas, on peut refaire le travail mais quelquefois, l'erreur est irréparable. Il faut donc une bonne dose d'optimisme pour devenir pigiste... et pas mal de philosophie pour le demeurer.

La vie de pigiste réserve aussi de très bons moments. Le photographe de sport est notamment appelé à faire des voyages intéressants. Je peux vous en raconter quelques-uns qui m'ont laissé de beaux souvenirs.

En 1972 et 1974, alors que je travaillais pour plusieurs compagnies, je me suis rendu à Moscou pour couvrir les séries de hockey Canada-Russie. Ma première visite fut particulièrement agréable. Je travaillais à la préparation du livre "Le match du siècle", pour le compte des Éditions de l'Homme. J'y ai vécu des moments mémorables alors que je réussissais des photos, assez remarquables d'ailleurs, de Paul Henderson marquant le but qui donnait la victoire aux siens. Un photographe de sport russe que j'avais rencontré m'offrit d'aller développer mes films au journal *Isvestia*. Vous pouvez imaginer que j'attendais les résultats avec une certaine anxiété, ne connaissant pas du tout les produits chimiques et les instruments russes. Mes seules ressources: la confiance que je plaçais dans mon nouvel ami et le soutien de mon précieux dictionnaire. Heureusement, ils se sont tous les deux révélés fiables!

Plus récemment, j'ai fait partie d'une équipe de douze photographes venus de tous les coins du monde pour préparer le livre officiel des jeux du Commonwealth. J'ai ainsi vécu une merveilleuse expérience de collaboration.

Ce sont là quelques-uns des moments agréables qu'un pigiste a la chance de connaître grâce à la diversité de son travail.

Le photographe amateur

Les photographes amateurs sont nombreux. La photographie de sport est un loisir qu'ils pratiquent sans contrainte. En général, l'amateur aime les sports et chaque fois qu'il assiste à un événement sportif, il en profite pour faire quelques clichés. Certains aspirent à devenir professionnels. Ils ont habituellement un bon équipement et on les voit partout. C'est sans doute la meilleure façon de réussir car tout le monde sait que pour trouver un emploi, il faut passer par un rude apprentissage, travailler fort et se faire connaître.

Qualités du photographe de sport

La photographie de sport demande des aptitudes particulières, qu'il est indispensable d'acquérir pour être à l'aise dans ce métier et obtenir des résultats satisfaisants.

Cette spécialité diffère des autres par plusieurs aspects. En voici quelques exemples. Dans certains domaines de la photographie, le photographe a le loisir de prendre son temps, de recommencer ses clichés s'il n'est pas satisfait, de choisir calmement ses angles, de demander au sujet de changer de position, d'attendre le moment idéal de la journée ou de fignoler son élcairage afin d'obtenir la meilleure image possible, qu'il s'agisse d'une personne, d'un objet ou d'un paysage. Tous ces avantages n'existent pas pour le photographe de sport quand il se trouve sur les lieux d'une compétition. Pas de seconde chance! Il lui faut saisir l'action à son point culminant, ni trop tôt, ni trop tard, et ne pas manquer son coup! Un knock-out à la boxe ou un dérapage dans une course d'autos sont des moments qui ne se reproduisent pas. Il est donc nécessaire de demeurer constamment aux aguets.

Tout comme le participant, le photographe de sport doit se préparer pour un événement sportif. En concentrant toute son attention sur l'activité qui se déroule, il aura quelques chances de gagner dans la lutte qui l'oppose à ses confrères. Car, il faut bien le dire, en dépit de l'atmosphère de camaraderie qui règne dans le cercle des photographes de presse, la concurrence est chaude! Lors d'une épreuve sportive, les participants ne sont pas les seuls à vouloir être les meilleurs.

Dans cette perspective, le photographe de sport recherche de nouveaux angles et choisit des prises de vue différentes de celles de ses collègues. C'est pourquoi il se déplace constamment, restant à l'affût de l'image la plus significative et la plus frappante. En conséquence, il doit toujours être sûr d'avoir suffisamment de pellicule dans son appareil. On le voit souvent changer de film au milieu du rouleau, surtout quand il prévoit une scène ou une situation qui exigera une longue séquence. À ce propos, il me vient à l'esprit une certaine partie de baseball à laquelle j'assistais il y a quelques années. Tout au long du match, les lanceurs dirigeaient leur tir tout près des frappeurs; on sentait l'animosité monter entre les deux équipes. Dès que je m'en suis aperçu, j'ai changé de film, même s'il me restait encore dix poses. Au jeu suivant, la bagarre éclatait. J'ai alors réussi à prendre un rouleau au complet. C'est dans de telles situations que l'on se félicite d'avoir été aussi perspicace.

On sait que la plupart des sports offrent un spectacle d'action, où la rapidité joue un grand rôle. Si l'athlète doit faire preuve d'habilité et de vitesse, la même chose vaut pour le photographe. Il lui faut connaître à fond son appareil pour le manier sans erreur ni hésitation et savoir trouver instantanément des solutions aux problèmes qui peuvent survenir.

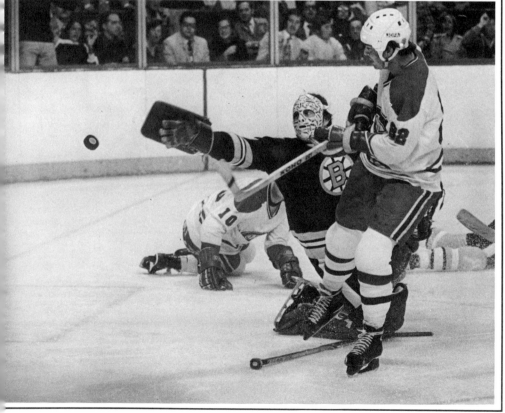

Ainsi, les changements de films, la mise au point, l'ajustement des vitesses et de l'ouverture du diaphragme doivent être effectués rapidement et presque d'instinct, en tenant compte de l'éclairage au moment de la prise de vue. Sur une période de quelques heures — durée ordinaire d'une rencontre sportive — l'éclairage est sujet à de nombreux changements. Il faut donc avoir en quelque sorte un posemètre dans l'oeil, car ces variations de lumière ne sont pas toujours évidentes.

Ce sont là quelques-unes des qualités nécessaires au photographe de sport. Évidemment, s'il adore les sports et les connaît bien, il saura où s'installer pour faire de bonnes photos et il lui sera assez facile de pressentir la tournure du jeu. Il évoluera dans une atmosphère qu'il aime et la communication avec les sportifs en sera meilleure.

Rapports avec les sportifs

Il est très important d'établir de bons rapports avec les sportifs car la qualité du travail en dépend. On sait que les photos de jeu ne sont pas suffisantes pour remplir à elles seules un reportage et que des images spéciales, comportant un peu de mise en scène, lui donnent une toute autre envergure.

Dès que le photographe devient un adepte des sports dont il est appelé à s'occuper, il est en mesure de mieux connaître ceux qui s'y adonnent. Bien sûr, s'il s'attache toujours aux mêmes disciplines, il se lie plus facilement avec les grands de cette spécialité. Par contre, s'il passe d'un sport à l'autre sans être un habitué d'aucun, des renseignements pris auprès d'un confrère l'aideront à aborder tel ou tel concurrent.

Les rapports avec les participants diffèrent d'un sport à un autre. Certaines activités demandent une grande concentration avant et lors de l'entrée sur le terrain de la compétition. À la boxe, par exemple, on ne peut pas songer à prendre une photo dans la chambre du boxeur ou sur l'arène quelques instants avant le combat. Après le combat, en revanche, qu'il y ait victoire ou échec, le boxeur se pliera volontiers aux exigences du photographe. Mais il est encore plus facile de prendre des photos pendant l'entraînement, une semaine avant le combat par exemple, et cela permet au photographe de mieux connaître à la fois le boxeur, son entraîneur et son gérant.

Après avoir réalisé des reportages sur la plupart des sports, je peux dire qu'en général il est assez facile d'aborder un sportif, amateur ou professionnel, que ce soit avant ou après une partie (selon la discipline). Il s'agit de juger du moment propice, de savoir d'avance ce que l'on veut et de préparer son équipement en conséquence pour ne pas faire attendre inutilement le figurant.

Dans le cas d'un sport comme le baseball, il est évident que le photographe peut passer beaucoup de temps avec les joueurs puisque, pour un match qui commence à vingt heures, les joueurs se présentent sur le terrain dès dix-sept heures. Nous pouvons donc facilement leur demander de nous accorder quelques minutes.

Il faut aussi tenir compte de la situation dans laquelle ils se trouvent. Un sportif avec qui le contact est ordinairement facile, s'il a joué une mauvaise partie la veille, ne sera pas aussi conciliant que d'habitude le lendemain. Un bon photographe doit se tenir au courant de ces choses en lisant les articles et comptes rendus des événements relatés dans les journaux. Certains sportifs oublient vite leurs bévues et sont toujours de bonne humeur, mais, encore là, comment les renconnaître? Somme toute, quand quelqu'un connaît "une mauvaise passe", il est préférable d'attendre un moment plus propice pour lui demander de faire des photos.

Il y a deux sortes de sportifs, surtout chez les professionnels. Certains soignent leur publicité, sont reconnus pour leurs qualités de gentilshommes et se font un plaisir de poser pour le photographe. D'autres refusent catégoriquement toute séance de pose et nous permettent de les photographier à volonté pendant le jeu. Il n'est pas de mise d'insister, car rien ne les oblige à se plier à nos désirs et aux exigences de notre métier.

Les nombreuses années que j'ai passées à photographier des sportifs m'ont pourtant appris une chose: la diplomatie et la politesse nous assurent toujours le maximum de collaboration de la part des grandes, comme des petites vedettes du sport.

Les accidents

Il me faut mentionner que le métier de photographe de sport comporte des risques de blessures corporelles. Au football américain ou canadien, par exemple, les joueurs sont fréquemment amenés à croiser les lignes de côtés à vive allure; le photographe posté à cet endroit avec un lourd équipement sur son épaule doit être très attentif au jeu afin de pouvoir se déplacer rapidement si l'action se rapproche un peu trop de lui. On a déjà vu des photographes, renversés par les joueurs, qui ont été gravement blessés. Outre le football, le baseball et le hockey peuvent aussi comporter des dangers: une balle ricochée, un bâton échappé, une rondelle projetée hors du jeu sont autant de causes de blessures. Le mot d'ordre pour tous les sports: être attentifs au jeu et ne pas perdre de vue joueurs, ballon, balle, rondelle ou bâtons.

L'étiquette

Pour un photographe de sport, l'étiquette est l'emblème de son savoir-vivre et de sa personnalité. Elle sera appréciée par tous ceux qui le côtoient. Dans son travail, le photographe est soumis à des règles rigoureuses qui varient d'un sport à l'autre.

Dès qu'un photographe est désigné pour couvrir un événement sportif, le comité organisateur lui donne des consignes. Ainsi, dans un tournoi de golf, l'étiquette doit être observée en tout temps. Par exemple, l'utilisation d'un appareil motorisé est interdite et la prise de vue doit être faite après que le golfeur a terminé son élan. Le golf demande en effet une grande concentration, que ce soit au coup de départ, à la sortie d'une fosse de sable ou lors d'un coup roulé. Au hockey ou au tennis, l'étiquette veut que l'on respecte le droit du spectateur à voir la partie. Il paie le gros prix pour son billet et il est normal qu'il n'aime pas se faire couper du spectacle par le dos d'un photographe.

Même si son laissez-passer lui donne le droit d'être au premier rang pour exercer son métier, le photographe ne doit pas abuser de cet avantage. Au lieu de rester debout devant un spectateur, il est préférable de se pencher et de circuler le plus possible. Et ceci s'applique à tous les sports.

L'équipement

La photographie de sport exige un équipement spécial. En conséquence, le photographe amateur qui veut obtenir de bons résultats doit posséder un appareil 35 mm à objectifs interchangeables. Pour ce qui est du professionnel, l'équipement est plus complet.

Pour ma part, j'emploie le matériel Nikon (publicité non payée), incluant trois appareils motorisés, utiles pour tous les sports. Ils sont robustes et donnent un bon rendement, quelles que soient les conditions de température — pluie, neige ou froid. Évidemment, je ne travaille qu'avec deux appareils à la fois. Cependant, l'un d'eux pouvant être brisé, j'en garde toujours un en réserve en m'assurant de son bon état de fonctionnement. Je possède aussi un appareil automatique Nikon FE que j'utilise pour les photos en couleurs. Les résultats sont très satisfaisants. Cet appareil a l'avantage de me dispenser des ajustements techniques et je peux ainsi me consacrer totalement à la composition de mes photos.

Naturellement, une gamme complète d'objectifs est également nécessaire. D'abord, les objectifs à courte distance focale (20, 24 et 35 mm) me donnent la possibilité de jouer sur les angles de prise de vue intéressants. Les téléobjectifs moyens de 85, 105, 135 et 180 mm sont aussi indispensables, mais ceux qui permettent de réaliser les plus belles photos sont les 300 et 400 mm ainsi que le 500 mm catadioptrique. Ce sont les trois objectifs puissants que j'emploie le plus fréquemment. Je n'ai aucun objectif zoom. Je n'en condamne pas l'utilisation. Ils permettent souvent aux amateurs de réunir quatre objectifs en un seul, mais pour ma part, je ne me suis jamais décidé à travailler avec ce genre d'instrument. Question d'habitude sans doute, mais je préfère avoir recours à plusieurs objectifs.

Le multiplicateur focal est un autre article qui doit faire partie de l'équipement d'un photographe. Sur le marché, il en existe qui sont faits pour l'amateur et d'autres pour le professionnel. Les doubleurs vendus aux amateurs me semblent de bonne qualité et se valent les uns les autres. Ceux qui sont destinés aux professionnels sont aussi coûteux que les objectifs, mais leur qualité est excellente. J'en utilise deux. Le premier, un Nikon TC 300, double la puissance de mes objectifs 300 et 400 mm, mais entraîne une perte de deux crans d'ouverture de diaphragme. Le deuxième, un Nikon TC 14, est un vrai petit bijou qui s'adapte à tous les objectifs, leur ajoutant 40% de puissance avec la perte d'un seul cran d'ouverture de diaphragme.

L'équipement doit aussi inclure un posemètre. Même si vous connaissez instinctivement vos ouvertures, un instrument précis n'en est pas moins nécessaire, ne serait-ce que pour "calibrer votre coup d'oeil" de temps en temps!

Le flash, quoique peu employé, demeure un outil important. Dans la majorité des endroits où se déroulent les événements sportifs professionnels son utilisation n'est pas nécessaire puisque l'éclairage, réglé pour les caméras de télévision, est amplement suffisant. On voit souvent dans les tribunes des amateurs utiliser leur flash pour photographier l'action. À titre de renseignement, je tiens à souligner que non seulement l'usage du flash est inutile dans les grands amphithéâtres, mais que les résultats sont meilleurs sans lui. Cependant, pour les professionnels, quantité d'autres situations requièrent le flash; c'est pourquoi j'en apporte toujours un quand je travaille. Je l'utilise dans les conférences de presse, où l'éclairage ambiant est ordinairement insuffisant, lors de certains combats de boxe, quand l'arène est trop sombre, ou, à l'extérieur, comme lumière d'appoint pour effacer l'ombre des chapeaux ou des casquettes sur les visages. En général, je laisse mon flash de côté dans les amphithéâtres où l'éclairage est préparé pour la télévision.

Quelques mots maintenant sur certains accessoires indispensables à notre travail. À l'achat d'un objectif, il est sage de se munir des filtres appropriés. En photographie de sport, deux filtres sont particulièrement importants: le filtre U.V. et le filtre jaune (appelé familièrement "skylight"). Le premier sert à atténuer le brouillard sans qu'il faille augmenter l'ouverture du diaphragme; en fait, il a surtout comme fonction de protéger la surface des objectifs contre la pluie, la poussière et les égratignures. Le deuxième est utilisé lorsque le ciel sert de fond à une image. Ce filtre coupe le bleu, de manière à faire ressortir les nuages. Il occasionne cependant la perte d'un cran d'ouverture du diaphragme. Pour la couleur, on doit se procurer des filtres de gélatine magenta, cyan et jaune. Un pare-soleil est utile aussi puisqu'il protège l'objectif et empêche les rayons du soleil de frapper directement la surface des lentilles.

À cause du poids des objectifs que j'utilise, j'ai souvent recours au trépied. En plus de ménager mes forces, il me permet d'employer simultanément deux appareils. Je me sers du monopode quand je travaille avec un seul appareil-photo.

Enfin, il faut avoir un bon sac avec plusieurs compartiments pour ranger appareils-photo, objectifs, flash, enveloppes, bloc-notes, crayons, pellicule, diapositives, épreuves en couleurs, chambre noire portative (pour manipuler le film s'il se brise à l'intérieur de l'appareil), ruban gommé, ciseaux, pinces, tournevis, piles de rechange, chiffon pour nettoyer objectifs et appareils, et tout ce qui pourrait être utile au cours d'un reportage.

Les films

Il existe un vaste choix de films, adaptés à différents besoins et qui donnent des résultats satisfaisants. Les films en noir et blanc les plus popu-

laires sont sans contredit le TRI X de Kodak et le HP5 de Ilford, tous deux d'un indice de sensibilité de 400 ASA. Ils sont devenus les films les plus utilisés car ils peuvent être, si nécessaire, forcés à 800, 1600 ou même 3200 ASA. Pour les diapositives en couleurs, on emploie surtout les films EPD 200 ASA et EL 400 qui, eux aussi, peuvent être poussés à 800 ou 1600 ASA.

Le photographe de sport doit être en mesure de s'occuper efficacement du développement de ses films. Il lui arrive souvent, après de nombreuses années d'expérience, de ne plus lire les feuillets d'instruction qui accompagnent les films, tout comme les entraîneurs des équipes de baseball ne suivent pas les directives des livres, mais s'en tirent presque toujours. Il faut toutefois accorder beaucoup de minutie au développement et tenir compte des changements que vous apportez à la procédure normalement prévue par la compagnie, car c'est à cette étape qu'une erreur ou un mauvais jugement peut détruire tout le travail accompli à la prise de vue.

Le développement est suivi du tirage. Il s'agit d'une étape importante, où le photographe doit prendre beaucoup de soin pour cadrer ses photos. Il faut toujours agrandir l'image le plus possible. Un bon cadrage fait souvent la différence entre une photo ordinaire et une photo qui sera retenue pour la première page d'un journal ou d'un magazine.

Conclusion

Voilà donc ce que je tenais à vous dire de mon métier. Bien sûr, ces quelques lignes ne donnent qu'un petit aperçu de la photographie de sport. Il m'est impossible d'approfondir ce vaste sujet en si peu de mots, mais j'espère que cette esquisse a pu vous intéresser et vous donner du goût pour cette spécialité de la photographie.

Et si la question vous intéresse vraiment, j'en traiterai plus longuement dans un livre que je publierai prochainement aux Éditions de l'Homme. En plus de présenter une étude photographique de toutes les disciplines sportives existantes, cet ouvrage portera sur tous les aspects de la photographie de sport.

La photographie industrielle
par André Germain

L'assignation qu'on m'avait donnée, cette journée-là, me paraissait tout à fait séduisante. Il s'agissait d'aller photographier l'une des tours qui supportent les lignes à haute tension qui traversent le fleuve Saint-Laurent, à l'Île d'Orléans, près de Québec. Je n'avais pas plus de détails, mais quelqu'un devait m'attendre sur l'île et me dire quoi faire. La journée était belle et je partis d'un coeur léger.

En arrivant sur les lieux, j'appris que quelques jours plus tôt, un inspecteur des lignes avait remarqué, depuis un hélicoptère de l'Hydro-Québec, quelque chose d'anormal dans la tour. Les employés d'une compagnie privée parachevaient alors son érection et l'inspecteur avait distingué la lueur d'un appareil de soudure. Or le contrat stipulait qu'aucun boulon ne devait être soudé, pour diverses raisons de sécurité et de solidité de la structure.

Tout cela pour vous dire que, ce matin-là, mon travail consistait à aller vérifier les impressions de cet inspecteur. Ce qu'on me demandait, c'était tout simplement de photographier le boulon soudé... tout en haut de la tour, à presque 160 mètres au-dessus du plancher des vaches.

Un monteur m'attendait pour m'aider dans mon ascension. Je me dis: "Si ce gars-là est capable de grimper, je ne vois pas pourquoi je n'y arriverais pas!..." Seul petit détail un peu gênant: la construction de la tour n'était pas achevée et il n'y avait pas encore d'échelle. Pour le monteur, cela semblait avoir peu d'importance. Pour moi, photographe, mes appareils bringuebalants accrochés à mon cou, le problème était certes de taille.

Je vous passerai les détails. Après quarante-cinq minutes d'efforts et de peur, j'étais tout en haut de la tour. La vue sur l'Île d'Orléans, les Chutes Montmorency, le fleuve et Québec était fabuleuse, mais je ne pris guère le temps de l'admirer. Le damné boulon était là. J'en pris immédiatement plusieurs clichés: mission accomplie! Enfin... presque, car je n'étais pas encore revenu en bas.

Il me fallut presque autant de temps pour redescendre que j'en avais mis pour monter. Plusieurs fois, les jambes molles et le souffle court, je dus m'arrêter pour me reposer en m'agrippant à la structure métallique et en évitant de regarder vers le bas. Une dernière traverse métallique, je me laisse glisser... Enfin, je suis sur terre!

Loin de moi l'idée de vouloir passer pour un héros. Cette fois-là, du reste, les deux pieds dans l'herbe, je n'étais guère glorieux. Je me souviens m'être laissé tomber sur le gazon et avoir dormi deux heures d'affilée. Si mes photos avaient été ratées, je crois bien que pour tout l'or du monde, je ne serais pas remonté. Non, je ne suis pas un héros, mais je suis photographe industriel à l'Hydro-Québec et c'est pourquoi je vous ai raconté cette anecdote. Certains de mes collègues ont connu des expériences semblables, accrochés dans une minuscule benne au-dessus du Saguenay ou dans la pince d'une grue au-dessous des carrières de la Baie James; d'autres ont dû mettre à l'épreuve leur talent de photographe... et leurs nerfs, cette fois du haut d'un hélicoptère dont la porte avait été enlevée, ou en filmant des explosions alors que les pierres du dynamitage tombaient en pluie tout autour d'eux... Ce sont là les risques de notre métier! Si vous n'êtes pas doté d'un minimum de culot, ne songez pas à la photographie industrielle pour faire carrière!

Le photographe industriel:
avant tout un généraliste

Je m'appelle André Germain. Je suis photographe à plein temps. Entendez par là que toute ma vie tourne autour de la photographie: mon métier, bien sûr, mais aussi mes loisirs, mes "hobbies", les relations d'amitié ou d'affaires que j'entretiens et les responsabilités que j'exerce. J'avais douze ans quand une de mes tantes, elle-même photographe, m'offrit mon premier appareil-photo. Tout de suite, j'ai su que je serais photographe. Aujourd'hui, trente ans plus tard, mon enthousiasme n'a pas faibli, bien au contraire.

Il n'y avait pas d'école de photographie au Québec, vers les années cinquante. J'ai donc appris mon métier "sur le tas". À dix-sept ans, j'entrais comme technicien de laboratoire chez un photographe portraitiste. Quelques années plus tard, je découvrais dans une autre maison l'illustra-

tion commerciale et la photo publicitaire. Après treize ans d'expériences diverses, j'étais mûr pour exercer plus de responsabilités dans le métier. J'avais touché à peu près à tout et approfondi plusieurs domaines. Rien ne me rebutait dans la photographie. J'eus alors la chance d'être embauché à l'Hydro-Québec où tout ce que j'avais pu acquérir au préalable comme connaissances et expériences allait être mis à contribution.

Quand une entreprise industrielle est assez puissante et prospère pour retenir à temps plein les services d'un ou plusieurs photographes, c'est évidemment parce que ses besoins sont grands. Ils sont aussi très diversifiés; c'est pourquoi le photographe industriel est, avant tout, un généraliste. On peut tout aussi bien lui demander un portrait du président-directeur général qu'une photo de chantier, d'appareillage d'ordinateur, de minuscules cartes aux enchevêtrements complexes, ou de la salle des machines d'une centrale hydro-électrique.

En fait, pour parler spécifiquement de mon travail, je dois préciser que mes activités sont concentrées dans quatre secteurs particuliers: la construction, l'illustration, le judiciaire et la vie générale de l'entreprise.

Près de cinquante mille prises de vue ont été faites par les photographes de la compagnie durant la construction des centrales de la Manicouagan. Au delà de cent cinquante mille furent développées, rendant compte, au fur et à mesure de l'érection des barrages et des centrales, de la progression des travaux. Ces photos constituent aujourd'hui un excellent support aux archives de l'entreprise qui dispose également d'un matériel photographique considérable sur la construction d'à peu près toutes ses centrales. Aujourd'hui, la Société d'énergie de la Baie James a retenu les services de six photographes qui témoignent quotidiennement de l'avancement des travaux sur le complexe de la rivière La Grande. À intervalles fixes et réguliers, nous nous rendons sur les divers chantiers, postes, lignes ou centrales afin de suivre l'avancement des travaux de construction.

Il fut un temps où l'Hydro-Québec travaillait à promouvoir, dans de nombreux média, l'utilisation de l'énergie électrique. Notre fonction d'illustrateurs était alors fort importante. Aujourd'hui, ce type de photo, plus ou moins publicitaire, a pratiquement disparu puisque l'entreprise a considérablement restreint ses activités de promotion. Nos activités dans le domaine de l'illustration sont maintenant davantage reliées à des préoccupations internes, notamment à la formation et au développement de la sécurité au travail. Souvent, et par diapositives, on nous demande d'illustrer de nouvelles méthodes de travail ou l'utilisation de nouveaux appareils, de façon à familiariser les employés avec les changements tech-

140

niques. Tout travail industriel comporte, par définition, une certaine part de danger. C'est peut-être encore plus vrai là où je suis employé. Aussi, notre participation à la formation et à la sécurité des travailleurs est-elle devenue un aspect très important de notre tâche. Mais le recours à nos talents d'illustrateurs ne se limite pas là. Consciente du rôle social qu'elle doit jouer au Québec, l'Hydro nous demande encore fréquemment de prendre des séries de diapositives illustrant la vie de telle ou telle région québécoise, afin de constituer des diaporamas qu'utilisent ensuite ses équipes locales de relations publiques.

Parfois, nous sommes sollicités comme enquêteurs. Accompagnés de gens des services de sécurité ou d'avocats de l'entreprise, nous nous transformons en apprentis Sherlock Holmes pour aller, sur leur territoire, confondre les auteurs de certaines poursuites dirigées contre notre organisme. J'ai ainsi le souvenir de m'être dernièrement promené dans une étable où une cinquantaine de vaches étaient mortes électrocutées. Leur propriétaire poursuivait l'entreprise pour une somme énorme. C'est en partie grâce à mes photos des installations privées défectueuses de ce monsieur que le juge donna tort au propriétaire. Souvent, dans de tels cas, on nous demande d'aller témoigner sous serment, en Cour... La vie d'un photographe industriel a des aspects qu'on ne soupçonnerait pas de prime abord!

Enfin, et cette part est loin d'être négligeable dans notre travail, le photographe industriel est étroitement associé à la vie générale de l'entreprise. Il n'est d'événements internes où nous ne soyons appelés, pour que des images de ceux-ci figurent dans les publications de l'organisme. Cela peut aller des inaugurations de barrages aux anniversaires de service de tous les employés, des poignées de main du PDG aux premières pelletées de terre levées à droite et à gauche. Cette activité fait de nous des témoins privilégiés. Nous en arrivons à être connus partout, à nous sentir à l'aise avec tous les employés, du président (qui nous appelle par notre petit nom) aux collègues monteurs de lignes qui finissent par nous considérer comme des confrères de travail. Nous nous sentons associés au but que poursuivent ces hommes et ce sentiment d'appartenance est fort stimulant. Il est partagé par tous les photographes industriels travaillant dans de bonnes conditions. Nous nous sentons concernés par les productions de l'entreprise qui nous emploie; nous faisons partie du groupe, même si l'entreprise produit tout autre chose que... des photos; et cette impression, au beau milieu d'un chantier bourdonnant d'activités ou au coeur des turbines silencieuses d'une centrale, est grisante et particulièrement motivante.

Les qualités d'un photographe industriel

Nous sommes quatre photographes permanents à l'Hydro-Québec, comptant tous au-delà de dix années d'ancienneté (comme quoi la stabilité est une caractéristique — sinon une qualité — des photographes industriels). L'entreprise a aménagé pour nous, dans son siège social, des bureaux clairs et confortables, un studio et un laboratoire parfaitement équipés. Nous disposons du matériel de l'entreprise pour toutes nos activités. On nous fournit généralement les meilleurs appareils et le moins que l'on puisse dire est que nous disposons d'excellentes conditions de travail à tous les plans. En échange, l'entreprise s'attend à recevoir un service impeccable et il faut reconnaître, sans fausse modestie, que nous ne la décevons pas. On doit comprendre que nous n'avons guère le choix. Les gens qui font appel à nous pourraient très bien recourir aux services des photographes de l'industrie privée. Il nous faut continuellement faire la preuve de notre compétence, être aussi capables de réussir la photo du conseil d'administration que celle d'un appareillage complexe... Nous n'aurions aucune excuse à rater l'une ou l'autre: nous sommes des spécialistes, et on nous juge comme tels.

Ces considérations dictent deux des premières qualités dont doit faire preuve un photographe industriel: une solide compétence technique et une aptitude à toucher avec succès à tous les aspects de la photographie.

Dans une entreprise industrielle, celui qui fait appel à vos services ignore tout de la photo et des difficultés qui peuvent se présenter. Cependant, il s'attend à un cliché impeccable. Or, nous l'avons dit, le propre d'un photographe industriel est de répondre aux attentes de ses collègues. J'ai ainsi, tout frais à la mémoire, l'exemple de photos qu'on me demandait de prendre dans les galeries d'amenée d'eau de la centrale de Bersimis, provisoirement vidées à l'occasion de travaux qui s'effectuaient dans les tunnels. La photographie, je ne vous l'apprendrai pas, c'est, avant toute chose, de la lumière contrôlée. Là, dans les cavernes de Bersimis, le problème se posait de façon bien particulière puisqu'il n'y avait absolument aucune lumière naturelle. C'était le noir le plus absolu... Je vécus des problèmes tout aussi intenses, à bien d'autres moments, à l'intérieur des turbines, par exemple, ou dans les immenses salles d'essais des laboratoires de l'Institut de recherche de l'Hydro-Québec. Chaque fois, c'est la même chose: à moi de jouer!

Dans de tels cas, et ils sont très fréquents chez nous, on se rend à l'évidence qu'on ne s'improvise pas photographe industriel. Seule une solide compétence technique, améliorée chaque jour, peut nous permettre de

"faire face à la musique". À Bersimis, dans les tunnels, j'ai immédiatement (ce n'était plus le temps de lire le livre d'instruction!) appliqué la technique d'exposés à flashes multiples, en utilisant un trépied. Avec une durée d'exposition d'environ deux minutes par photo, après avoir ouvert la lentille, j'ai "inondé" la zone à photographier de vingt à trente flashes. De retour au laboratoire, j'étais nerveux et anxieux de voir le résultat... C'était réussi. Heureusement! Il aurait été très difficile, voire même impossible de retourner à Bersimis et d'y travailler dans les mêmes conditions.

Dans tous les cas, cette compétence technique, soigneusement entretenue par des lectures, des cours de recyclage et une formation continue est absolument indispensable. Les chantiers où l'on évolue, les appareillages que l'on filme, les installations techniques que l'on doit fixer sur pellicule sont conçus à des fins qui n'ont rien à voir avec le spectacle. Un chantier n'est pas un plateau ou un atelier de pose. Il faut créer, avec le moins d'artifices possible, les conditions favorables à la réussite de la photo. À ce moment précis, parmi les gens qui poursuivent leur activité autour de nous, ou les machines qui continuent de produire, l'improvisation n'a pas sa place; la technique et la science de la photographie, elles seules, dirigent les actions du bon photographe industriel.

Il en va de même lors des opérations de laboratoire. Je crois qu'en employant les techniques de laboratoire adéquates, il est possible d'améliorer notablement les produits de nos prises de vue. J'aurais par ailleurs bien des doutes sur la compétence d'un photographe professionnel qui ne développerait pas lui-même ses photos. Tous les grands maîtres le font, dans la photographie industrielle comme dans la plupart des autres secteurs d'activité de la photographie professionnelle.

Le fait que le photographe industriel soit, avant tout, un généraliste, implique cette seconde qualité que je juge fondamentale: l'aptitude à toucher à tout dans la photo. Ici, nous estimons que tout employé qui vient nous voir pour une étude physionomique a droit à un portrait de qualité, qu'il s'agisse du PDG posant pour la présentation du rapport annuel ou de l'employé de qui on fête les vingt-cinq ans de service. Si nous ne sommes pas portraitistes comme tels, nous suivons cependant avec attention l'évolution des techniques propres à ce secteur afin de donner, là comme ailleurs, un service professionnel. Mais il faut en connaître autant sur bien d'autres sujets. Il est possible qu'on nous envoie plus tard photographier un camion de quatre-vingt tonnes ou une immense grue, en prenant soin que la marque de commerce ne soit pas lisible. Peut-être nous faudra-t-il chausser des bottes pour marcher dans la boue d'un chantier au moment du dégel... et surtout, ne pas oublier son casque, pour ne pas se faire engueuler par le responsable de la sécurité sur le chantier... ou bien encore, en plein hiver, devrons-nous marcher des kilomètres en raquettes, pour rejoindre des bûcherons traçant dans le nord, en plein bois, les futures lignes du réseau de transport d'électricité de la Baie James...

Quand je dis aptitude à toucher à tout, je veux autant parler d'aptitudes techniques que d'aptitudes morales: courage, volonté, disponibilité, maturité, souci de recherche, intérêt au travail, patience, enthousiasme... et même physiques, une bonne santé étant indispensable pour mener ce type d'activités. J'aurais le goût d'écrire, si ce n'était peut-être un peu prétentieux, qu'un photographe industriel, devant mettre en pratique toutes ces qualités, est toujours un individu intéressant.

Les bons et les mauvais côtés

Si l'entreprise permet au photographe de mettre toutes ses qualités au service de sa tâche, le photographe industriel, sans nul doute, est un homme heureux qui adore ce qu'il fait. Alors bien sûr, les bons côtés de son emploi sautent aux yeux. D'abord, et le point est important, quand une entreprise industrielle est suffisamment considérable pour engager des photographes, elle est toujours assez puissante pour assurer la sécurité de ses employés. Les photographes industriels profitent généralement de bonnes conditions de travail et d'une sécurité d'emploi, ce que bon nombre d'autres photographes n'ont pas. Certes, les possibilités d'avancement sont assez faibles au sein de l'entreprise, pour le photographe qui veut continuer à exercer son métier. Ceux qui envisagent d'abandonner la prise de vue peuvent se tourner vers l'administration ou les relations publiques, par exemple. Cependant, l'évolution des salaires, garantie par la richesse de l'entreprise et l'existence de syndicats puissants, privilégie généralement, et de façon sensible, le photographe industriel par rapport à l'ensemble de ses confrères.

Parmi les bons côtés du métier, il faudrait remarquer la variété des tâches à accomplir, qui élimine toute monotonie dans le travail. Depuis quatorze ans que j'occupe mon poste, j'ai le sentiment de ne pas avoir vécu deux semaines identiques. J'ai constamment l'impression de découvrir des choses, des régions, des visages, des situations. Je vois changer l'entreprise et j'assiste au spectacle non pas à partir d'un fauteuil d'orchestre, mais comme si j'étais assis au beau milieu de la scène. Mieux, j'ai souvent l'impression d'en être moi-même, à ma modeste mesure, un des acteurs. Je me sens associé. Quand j'arrive sur le lieu de mon travail, et que j'invente, finalement, ce qui restera de cet instant sur le papier, je me sens fort d'une grande responsabilité, ce qui ne manque jamais d'être excitant...

Enfin, au chapitre de ces bons côtés, je ne voudrais pas manquer de souligner que ce métier m'a permis de mieux connaître mon pays et, particulièrement, ses régions lointaines et hostiles. J'ai marché sur les bords de la rivière La Grande. Je suis remonté jusqu'aux sources de la Grande rivière de la Baleine. J'ai descendu le fleuve Saint-Laurent jusqu'à Blanc-Sablon. J'ai aussi rencontré un vieil employé qui, tout seul, en plein bois depuis des années, réglait le débit de la rivière Saint-Maurice; j'ai mangé à la même table que les bûcherons, hydrauliciens, biologistes qui, dans des conditions de difficultés invraisemblables, étudient les barrages de demain; j'ai accompagné des monteurs, aux prises avec le verglas; j'ai parlé avec des Indiens ou des Inuits... Mais je m'arrête car la liste de toutes ces expériences prendrait plusieurs pages. Qu'il me soit simplement permis de dire que mon métier m'a permis de vivre des moments qui sont parmi les plus intéressants de toute ma vie.

Les mauvais côtés? Il y en a, sans doute, même si la passion que m'inspire ma profession les minimisera toujours un peu. En cherchant bien, ces mauvais côtés sont au nombre de trois. Tout d'abord, le photographe industriel est toujours un vendeur. Je m'explique: si je travaillais pour le Canadien Pacifique, je vendrais des trains; si je travaillais pour Ford, je vendrais des automobiles; je travaille pour l'Hydro-Québec: je vends donc de l'électricité. Que j'aime ça ou que je n'aime pas ça, j'aurais toujours à faire, bon an mal an, quelques milliers de photos de poteaux électriques et presque autant de poignées de mains entre patrons et employés méritants. Bien sûr, à la longue, le métier présente un certain côté monotone.

Il y a aussi la distance qui existe entre le produit que vend l'entreprise et notre propre activité. Il peut arriver certains jours que l'on se sente plus ou moins utile, en fonction justement de cet écart. On se dit: "Au fond, l'Hydro a plus besoin de monteurs de lignes que de photographes!" On est las de l'étonnement des gens qui vous disent: "Ah bon! L'Hydro-Québec emploie des photographes!" et de leurs interrogations: "Est-ce bien utile?" Ce sont là des réflexions auxquelles n'ont certainement pas à faire face les photographes commerciaux ou les photographes de presse, dont chacun découvre avec intérêt les clichés dans les pages de son journal. Ce n'est pas la vocation de l'Hydro-Québec de faire des photographies: c'est une évidence qui parfois me met mal à l'aise quand, au terme d'une journée fatigante, je me mets à penser un peu plus loin que le bout de l'objectif de mon appareil-photo!

Dernier mauvais côté de ce travail de photographe industriel: on ne se sent pas toujours utilisé à sa pleine capacité et c'est là un des corollaires du point précédent. Il y a certaines techniques, particulièrement en laboratoire, que nous connaissons parfaitement, sur lesquelles nous continuons d'entretenir notre savoir, et que nous ne pouvons utiliser dans le cadre normal de notre travail étant donné que l'Hydro, bien sûr, n'est pas une boîte de photographie. Nous faisons beaucoup de choses, mais nous pourrions en faire encore plus si on voulait nous confier certains mandats, par exemple, décorer des bâtiments... Cette sous-utilisation peut, à la longue, entraîner une certaine frustration.

En guise de conclusion

Mais, quant à moi, ces quelques points érodent à peine mon enthousiasme. Alors que j'achève ce chapitre, j'arrive de Percé, où je viens d'achever des reportages sur l'état du réseau gaspésien. Je ne sais où j'irai demain, quel sera le contenu des assignations qui m'attendront dans la corbeille d'osier. Mais je sais qu'avant la fin de ce mois, je devrai retourner à Poste-de-la-Baleine, pour rendre compte des travaux d'avant-projet de l'Hydro-Québec au Nouveau-Québec, en plein territoire esquimau...

Poste-de-la Baleine! Je me rappelle encore le dernier voyage que j'y ai fait, en hiver, il y a un peu plus d'un an. Je me revois, couché dans la neige, sur un grand lac gelé, un hélicoptère s'approchant de nous, venu du fond de l'horizon. J'étais là, nerveux, tendu, mon Nikon pendu au cou et mon Hasselblad en batterie. Brusquement, ils arrivèrent, martelant le sol de leurs sabots, effrayés par l'hélicoptère... des centaines de caribous! L'hélicoptère disparut. Les bêtes s'apaisèrent... et nous aussi, dissimulés sous quelques branches. Le spectacle était magnifique. Le plus proche des animaux frémissait quelque peu à chacun des déclics de mes appareils. Conscient d'être le témoin d'un spectacle que bien peu d'hommes avant moi avaient pu admirer, je ne cessai de prendre cliché sur cliché, au beau milieu du troupeau magnifique...

Cette fois-là, je travaillais pour la direction Environnement, cherchant à vérifier que le remplissage d'un éventuel réservoir hydro-électrique dans la région du lac Bienville ne nuirait pas à la vie des grands cervidés nordiques. Toute la journée, j'accompagnais les biologistes posant des colliers émetteurs au cou des caribous femelles...

Quand je vous dis qu'il faut être prêt à tout quand on est photographe industriel!

148

Le photographe commercial
par Bob Fisher

Bienvenue dans le monde des perfectionnistes. Vous avez de la patience à revendre? Vous êtes méticuleux à rendre fou votre entourage? Vous êtes une personne super-organisée? Vous comprenez et savez très bien manier les appareils photographiques, du petit format 35 mm au grand format 20 X 26 cm? Vous connaissez l'éclairage électronique, les lumières au tungstène? Vous avez un don évident pour la communication? Vous avez de l'expérience en chambre noire, de bonnes notions en composition et en design? Vous êtes photographe généraliste à plein temps, depuis au moins cinq ans? Vous disposez d'un studio au besoin, vous possédez assez d'équipement photographique pour attaquer de front n'importe quel défi? Alors vous remplissez une partie des exigences requises pour devenir un photographe commercial.

Nature et rôle

Si on vous demandait de nommer un photographe commercial, le premier qui vous viendrait en tête serait probablement celui qui a fait vos photographies de noces et c'est tout à fait, naturel. — "Ben quoi! Vu le prix de mon album, il est sûrement dans le commerce de la photographie, donc photographe commercial..." Pas si bête comme conclusion, mais pas tout à fait juste.

Définir le travail d'un photographe commercial est une chose assez complexe. En vous disant qu'il est étroitement relié aux images que vous voyez tous les jours dans diverses annonces publicitaires, vous en avez déjà une excellente idée. C'est précisément de ce genre de photographe dont je vais vous entretenir.

Il fut un temps où on n'entendait jamais parler du photographe commercial. Il en est encore ainsi aujourd'hui, à moins d'être directeur des relations publiques d'une compagnie, chef de la publicité, directeur artistique dans une agence de publicité, ou concepteur en design. Les probabilités que vous ayez à entrer en contact avec ce genre de phénomène sont donc plutôt rares pour ne pas dire à peu près nulles.

Quand j'ai commencé à exercer mon métier, l'idée qu'il y avait des gens qui photographiaient le type d'images que je voyais dans les gros catalogues, comme ceux produits par la maison Eaton de l'époque, me laissait totalement indifférent. Les photos utilisées dans les annonces publicitaires étaient pour moi monnaie courante et faisaient partie intégrante du mobilier, au même titre qu'à gauche de la baignoire, il y a le robinet pour l'eau chaude et à droite, celui pour l'eau froide. Dans ma tête, un photographe, c'était une personne chez qui on pouvait se procurer des appareils photographiques, des films, des photos de passeport, un portrait de graduation, de première communion, des photos de mariage, des souvenirs de son équipe de baseball et ça coûtait $5.00 la photo... Il faut dire qu'à Grand-Mère et à Shawinigan, dans les années 60, les photographes professionnels, ça ne courait pas les rues!

Lorsque mon professeur de photographie a décidé que ses finissants et finissantes iraient visiter les studios et les installations d'une maison réputée de Montréal, spécialisée en photographie commerciale, l'idée de voir la rue Ste-Catherine de près était plus excitante que la visite que l'on qualifiait, nous, "d'industrielle"!

Rendu sur les lieux, la salle de réception du studio, plus grande que le salon de chez nous, fut pour moi la révélation des révélations! La grandeur des studios faisait bien trois fois celle de la salle de montre du dépositaire d'automobiles GM de la région. Les mots me manquaient pour décrire jusqu'à quel point j'étais impressionné! Très peu impulsif de nature, j'ai décidé sur-le-champ que c'est là que je voulais travailler et apprendre mon métier! Je venais de renoncer à mon petit bagage de connaissances pour m'aventurer dans un monde inconnu, mais qui me fascinait de plus en plus à mesure que la visite se prolongeait: chambres noires modernes, photos murales en couleurs, section des retouches, département de photocopie, atelier de pose pour le portrait, celui-là de grandeur similaire à celui dans lequel j'avais l'habitude de travailler. Quant aux autres ateliers, l'un était réservé à la photographie de mode, rempli de belles femmes, — vous savez ce que je veux dire... — décolleté plongeant, belles jambes, parfum enivrant... En groupe, les réflexions se firent spontanées et rapides. C'est là que j'ai vu pour la première fois de mes yeux un appareil

Hasselblad 6 X 6 cm et que j'ai pu y toucher sans intermédiaire. Et, comme un enfant, j'ai rougi lorsque le photographe, un Anglais ou plutôt un Américain, a lancé d'un ton autoritaire: "Please don't touch my camera!" J'avais l'impression d'avoir commis un sacrilège. Dans le grand studio adjacent à l'ILLUSTRATIVE STUDIO inscrit blanc sur or sur la porte d'accès, de biais avec la chambre des modèles (une pour les hommes et l'autre pour les femmes avec douche, salle de bain, etc.), s'affairaient maquilleurs, coiffeurs. Wow! Assez pour perdre le souffle et développer des complexes...

Dans ce grand studio, pas moins de quatre photographes: les uns, en dessous du traditionnel linge noir, étaient occupés à faire la mise au point sur le verre dépoli d'un appareil en bois fini acajou et pouvant accepter des plaques ou des porte-films 20 X 25 cm; les autres mettaient la touche finale à la prise de vue d'un produit quelconque en l'enveloppant d'un éclairage superbe. C'est là que j'ai compris que, dorénavant, ce serait ma façon de vivre: rendre les choses attrayantes, plus belles en photo qu'en réalité, plus séduisantes.

La visite se poursuit et on accède à un autre studio. Celui-là est bien spécial: cuisine complète, réfrigérateur, cuisinière sur roues (pour pouvoir photographier les soufflés), machine à laver la vaisselle, diététicienne sur place discutant avec intérêt des besoins d'un photographe d'un âge certain, en train de compter combien de grains il laisserait à côté du morceau de gâteau qu'il s'apprêtait à photographier, question de donner du réalisme au produit. C'est ce qu'on appelle de l'APPETITE APPEAL.

Cet homme est devenu par la suite mon professeur — un professeur qui m'a révélé tous ses secrets en photographie de nourriture. Méticuleux au possible, à me rendre fou! J'ai eu l'immense privilège d'être son assistant personnel pendant deux ans et je me souviens de l'avoir vu placer et replacer une paire de bas de nylon pendant une bonne demi-heure.

J'ai eu la bonne fortune de travailler six ans dans cette maison comme portraitiste et photographe de mode et je regrette que ce studio n'existe plus aujourd'hui. Quelle école de photographie c'était! J'avais un bureau, un assistant, une coordonnatrice et les meilleurs techniciens de la métropole à ma disposition, une voiture et le stationnement payés par la compagnie et pas moins de douze représentants des ventes pour répandre dans toutes les agences de publicité la nouvelle que Bob Fisher avait du talent. En 1970, je décidai de partir à mon compte et d'ouvrir mon studio dans le Vieux Montréal.

Le lundi suivant mon départ, je rentre à nouveau travailler, en tant que pigiste cette fois, dans le même studio que je venais de quitter, pour exécuter avec le même mannequin des photos de soutiens-gorge destinées aux couvertures de boîtes de la maison Wonder Bra. Dire que j'aurais pu choisir la médecine comme mon père l'avait fait. Toutefois j'avais l'avantage, moi, de voir des femmes en bonne santé...

Ayant touché à plusieurs genres de photographie et profitant de mon expérience passée, je devins donc patron...

Tout comme pour les photographes de presse, le respect des échéances était essentiel à la réussite de mon entreprise. Mais, ne pouvant plus compter sur l'organisation qui existait dans la maison où je travaillais auparavant, j'ai dû redoubler d'efforts pour livrer mes travaux dans les délais requis.

C'est fou ce qu'on peut parfois se sentir seul dans cette jungle qu'est la publicité!

Les écoles de photographie

Plusieurs sentiers mènent à la photographie. Bien sûr, il existe des écoles de photographie où l'on étudie la cuisine photographique et c'est un très bon endroit pour apprendre les éléments techniques du métier. Il y a également les cours par correspondance, mais...

À mon humble point de vue, une école ou une université, c'est une institution où l'on apprend à apprendre, rien d'autre. Ceci dit, on y gagnerait en permettant (comme cela se fait dans plusieurs endroits) que des professionnels du métier donnent des cours dans les institutions reconnues comme écoles de formation professionnelle en photographie. Suite à ces séances d'information, on verrait certainement moins d'étudiants dépourvus de moyens, complètement désillusionnés devant un marché de plus en plus restreint et mal préparés aux conditions du milieu, parce que ce qu'on leur enseigne ne correspond pas à ce que vivent tous les jours les gens du métier.

Au rythme où se font les inscriptions dans les écoles de photographie, il y aura bientôt plus de photographes sur le marché qu'il y aura de figurants. Nous devrons nous photographier entre nous!

C'est évident qu'il y aura toujours de la place pour une certaine catégorie de photographes. Les gens spécialisés et super-compétents qui savent profiter de leur imagination, de leur créativité et de leur perspicacité pourront s'assurer une part du gâteau qui se fait cependant plus mince d'année en année. Les conditions actuelles du marché affectent tous les secteurs mais il me semble qu'elles sont plus évidentes encore dans le domaine de la photographie.

Titulaire de PHOTIQUE (Enseignement professionnel de recyclage pour les photographes membres de l'Association des photographes professionnels du Québec), j'ai eu le plaisir, à plusieurs reprises, de constater que le talent ne manque pas au Québec. Mais le marché semble en perte de vitesse plutôt que de reprendre du poil de la bête... Ou bien on manque de cnadidats, ou bien il y en a trop qui veulent faire la même chose... À moins d'être absolument convaincu que vous avez l'étoffe et le talent requis pour pratiquer professionnellement la photographie commerciale, l'aventure que vous vous proposez d'entreprendre risque de s'avérer décevante du point de vue moral et financier. Prenez une décision éclairée car il vous faudra investir beaucoup de temps et d'argent pour répondre aux exigences du métier de photographe commercial.

Équipement

Voici un aperçu sommaire de l'équipement nécessaire à un photographe commercial:

Équipement complet en 35 mm
avec les objectifs suivants:

2 boîtiers, dont un motorisé (pour ma part, l'équipement Nikon est un choix logique)
objectifs: 24 mm, 28 mm, 55 mm Macro, 85 mm, zoom 80-200 mm
coût approximatif $10 000.00
Filtres et accessoires adéquats: coût approximatif $250.00

Équipement de format 6 X 6 cm

Type Hasselblad, avec adapteur Polaroid et 4 dos ou magasins de rechange
objectif: 0 mm, 50 mm, 80 mm (normaux)
150 mm (indispensable pour gros plans
et visages)
coût approximatif: $10 000.00

Appareil 10 X 12 cm

objectifs: 90 mm, 210 mm, 300 mm

dos polaroid 10 X 12 cm

Certains studios vont jusqu'à la chambre 20 X 25 cm et utilisent du film polaroid 20 X 25 cm en couleurs.

coût approximatif entre $2 000.00 et $10 000.00

2 bons trépieds pour le petit format

1 trépied d'atelier pour l'appareil 10 X 12 cm

Quant à l'éclairage, voici une liste du matériel utilisé par mes confrères spécialistes en photographie de mode, industrielle et commerciale.

Système complet de lumière électronique, genre Ascor (entre 4 et 8 têtes électroniques) 800 W/seconde pour la photo de mode et le portrait, 2400 W/seconde.

Cet équipement est indispensable à tout photographe commercial.

Ombrelles — petits flashes portatifs pour se dépanner au besoin. Banque de lumière d'environ 1 m 25 sur 1 m 25 qui simule l'éclairage d'un puits de lumière. Cela est également indispensable pour la photographie de petits et moyens produits. Le tout, si possible, doit être portatif, à l'exception de la banque de lumière qui peut être construite assez solidement et demeurer sur place dans l'atelier de pose.

coût approximatif: $7 000.00 à $10 000.00

Facultatif: Quelques lampes au tungstène sur pied, 3200 K pour éclairage spécial, pour les mises en places majeures et là où une très grande profondeur de champ est nécessaire.

Atelier de pose

"Facultatif" avec réserve.

Au moins 300 mètres carrés d'espace, incluant une chambre pour les modèles, une chambre noire pour le développement des films en noir et blanc et une chambre noire pour imprimer le noir et blanc et, au besoin, la couleur.

Espace d'au moins 140 mètres carrés, pour la prise de vue.

Coût approximatif du loyer, dépendant de l'endroit où il est situé: entre $350.00 et $1 000.00 par mois.

Il va sans dire qu'un véhicule moteur est indispensable. À cause de l'équipement, il est assez difficile de prendre un taxi, encore moins l'autobus, pour se rendre à l'autre bout de la ville, en banlieue et même en province.

À moins d'avoir une secrétaire, il faut également prévoir l'installation d'un répondeur téléphonique qui enregistrera, en votre absence, vos messages téléphoniques. Un ou deux bons assistants font aussi partie du personnel nécessaire à la bonne marche d'un studio.

Vous devrez vous assurer la collaboration et les services d'un bon laboratoire couleurs. Un service de messageries vous permet de livrer vos commandes à temps. Cela peut être profitable puisque les retards entraînent souvent des pénalités coûteuses.

Je n'insisterai jamais assez sur le fait qu'un comptable agréé peut faire la différence entre le succès et la faillite de votre entreprise. Dépenser de l'argent en photographie? Rien de plus facile! De bonnes assurances sont également indispensables. Si, par exemple, on vous "emprunte" pour un délai indéterminé un ou plusieurs appareils, il vous faut voir à ce que vos assurances garantissent la valeur de remplacement de votre équipement. Une prime égale au montant que vous avez déboursé au moment de l'achat serait bien inférieure au prix actuel de vos appareils. Pire encore, si tout est détruit par le feu... ou si vous laissez tomber une lampe sur la tête d'un mannequin... À déconseiller!

Il faudra, si vous êtes patron, vous conformer à la loi et faire vos remises de taxes au gouvernement. Bien sûr, vous devrez envoyer des factures le plus souvent possible. Je vous souhaite de payer beaucoup d'impôts! Cela voudra dire que votre entreprise est rentable.

Une session photographique

Malheureusement, même si vous avez acheté tout l'équipement nécessaire, rien ne garantit que vous aurez du succès en tant que photographe; j'en connais qui ont acheté le double et le triple de l'équipement suggéré ci-haut et qui ont dû fermer leurs portes, faute de clients ou d'expérience dans le métier, ou peut-être même, faute de talent... On ne naît pas plus photographe qu'on naît chirurgien. On le devient. Il faut, avant d'espérer devenir photographe commercial, acquérir et assimiler les bases fondamentales de généraliste. Vous connaissez un chirurgien qui n'a pas fait au préalable ses études en médecine? Si j'utilise l'exemple du chirurgien, c'est que lors de sessions photographiques, certains de mes clients ont déjà fait la réflexion suivante: "On se penserait dans une salle d'opération, à la façon dont l'assistant lui présente les accessoires"!

Il n'est pas rare de me voir trimbaler mon sac à ordures lorsque je travaille à l'extérieur du studio. De cette façon, les Polaroids, les emballages de films et les autres objets inutiles ne sont pas laissés à la traîne et lorsque l'équipe quitte les lieux, personne ne peut me reprocher d'être la honte de la profession.

Si je prends la peine de respecter les lieux et les clients qui sollicitent les services de mon équipe, j'ai aussi des égards envers mes collaborateurs. En voyage, chacun des membres de l'équipe jouit de sa chambre privée et il n'est pas question qu'un assistant partage la même chambre avec un autre, encore moins avec le photographe. Après avoir passé parfois 12 heures d'affilée à travailler ensemble, il est certainement plus salutaire de profiter de quelques heures de congé que de s'endormir en parlant "job". Ceci ne veut pas dire qu'on n'y pense pas, au contraire. Cependant, le fait de s'abstenir d'en parler à la fin de la journée dispose toute l'équipe à donner un meilleur rendement le lendemain et le client est le premier à en bénéficier.

Une session de photographie, pour être efficace, doit être bien organisée. Sinon c'est la confusion totale. Certains photographes aiment travailler dans l'ordre le plus complet, en ayant toujours l'esprit et l'oeil ouverts à une nouvelle idée ou à un changement d'angle; d'autres travaillent dans le désordre le plus complet et réussissent tout aussi bien, puisqu'ils ont, au préalable, visualisé la session du début à la fin et organisé le côté technique dans les moindres détails, au même titre que notre chirurgien de la photo.

Si un mannequin professionnel adopte la règle d'être sur les lieux d'une prise de vue environ une demi-heure avant l'heure prévue, il est bien normal que l'équipe technique soit sur place plusieurs heures à l'avance. L'exception à la règle veut que les modèles arrivent en même temps que le photographe, lorsqu'un maquilleur et un coiffeur agissent d'office pour les besoins d'une annonce publicitaire. Une session de maquillage peut prendre des heures, comme cela arrive dans le cas d'une publicité de sous-vêtements; le photographe a donc amplement le temps de s'installer.

La règle veut que lorsqu'on travaille à l'extérieur du studio, on double l'équipement nécessaire à l'exécution de notre travail. S'il fallait qu'un appareil devienne soudainement défectueux, un photographe même volubile manquerait de mots pour expliquer à son client qu'il ne peut travailler parce que son instrument est brisé.

Le photographe commercial, tout en étant attentif à chacun des aspects techniques, doit, en plus, avoir assez de psychologie pour rendre son équipe à la fois efficace et de bonne humeur.Il va sans dire qu'il y a des situations où le sang bout! La tension est coutumière et nécessaire au

déroulement d'une bonne session, mais elle entraîne parfois des illogismes flagrants. Ne perdant cependant jamais de vue le but principal de toute cette mise en scène, le résultat final doit être plus que satisfaisant et surtout, conforme aux besoins du client.

Lorsque le photographe semble manquer de temps pour cajoler ses modèles de mots gentils et d'attentions particulières, la coordonnatrice, intelligente, débrouillarde, discrète et efficace, est une présence rassurante pour toute l'équipe et pour le client puisqu'elle l'assure de la bonne marche des opérations. C'est un peu l'infirmière qui vous tient la main dans l'ascenseur, avant une opération délicate. Soit dit en passant, il y a certainement de la demande pour plusieurs bonnes coordonnatrices. Le salaire de base est approximativement de $150.00 par jour, dépenses payées. Après le photographe, la coordonnatrice est sans aucun doute la personne clef sur le plateau. En plus de voir à faire signer par tous les figurants une formule de libération de droits, elle tient le photographe au courant de tous les détails importants, susceptibles d'influencer le déroulement de la session.

L'assistant — exigences requises

Le rôle de l'assistant est, à la base, de porter l'équipement du photographe. Jusqu'ici, rien de sorcier. Cependant, il doit constamment avoir les yeux derrière le dos et ça, c'est plus compliqué! Autrement dit, il garde un oeil discret mais scrupuleusement ouvert sur l'équipement et il voit à ce que les "curieux" ne s'approchent pas trop près de la "quincaillerie".

Avant de quitter le studio, il prépare l'équipement nécessaire et recommandé par le photographe. Après un certain temps, il complète même la liste du photographe, en y ajoutant des accessoires qui pourraient être utiles lors d'un prochain engagement. Il vérifie si tous les appareils fonctionnent bien, double la quantité de films que le photographe prévoit utiliser; si le travail doit se faire en couleurs, il s'occupe d'apporter des pellicules négatives en couleurs, environ la moitié de ce que le photographe aura suggéré en pellicules positives en couleurs 'diapositives', quelques rouleaux ou feuilles de films 'selon le cas' en noir et blanc. L'assistant doit aussi s'assurer que le film est de la bonne émulsion et le sortir du congélateur au moins quatre heures avant la prise de vue. Il vérifie au moins *deux* fois tout l'équipement qui doit être apporté.

Rendu sur place, puisqu'il a préparé l'équipement, il sait mieux que quiconque par où commencer pour déballer l'attirail photographique. Après avoir vérifié avec le photographe le nombre et la sorte de lampes que ce dernier entend utiliser, il monte sur leurs pieds respectifs les lampes sélectionnées et s'assure du bon fonctionnement et du synchronisme du système électronique et des lampes. L'assistant, sous la direction du photographe, et souvent avec le photographe, place les lampes aux endroits désirés. Ayant une connaissance sommaire, sinon complète, du chargement des films dans l'appareil, il voit à ce que tout soit prêt et il en avise le photographe. Celui-ci peut alors commencer les essais sur film à développement instantané.

Lorsque le photographe commence la prise de vue proprement dite, l'assistant lui donne du film vierge et identifie les rouleaux ou les plaques, par ordre de déroulement des photos. De temps en temps, il vérifie si toutes les lampes électroniques continuent de bien fonctionner, pendant que le photographe se concentre sur les expressions de ses modèles. S'il note quelque chose d'anormal, il avertit le photographe immédiatement mais *discrètement*.

Au préalable, il aura fixé les câbles sur le plancher avec du ruban gommé (communément appelé "Gaffer Tape") afin que personne ne trébuche et n'intente par la suite une action en justice contre l'établissement ou le photographe en faute. Il est assez surprenant de constater à quel point les gens sont peu attentifs; ils s'imaginent que les lampes, allumées à différents endroits et qui ont attiré leur attention, surtout les parapluies, font partie du décor et que les fils passent sous terre, quelque part. Je vous fais grâce des réflexions des amateurs, réflexions plus ou moins savantes de l'assistance venue, comme par hasard, voir le "show". Il y a des moments où on ne sait plus très bien si on fait de la photographie ou du "show business". C'est ce qui rend peut-être le métier attrayant à tant de gens.

La session terminée, l'assistant replace tout l'équipement et ce qui a dû être déplacé pour les besoins de la photo; il voit à ce que rien, ou a peu près, ne laisse deviner le passage d'une équipe de photographie sur les lieux.

Lorsque le temps presse, il arrive assez souvent que le photographe aide l'assistant à démonter la quincaillerie et qu'il l'avise des changements prévus quant à l'éclairage de la prochaine situation, si, bien entendu, situation il y a.

De retour au studio, à moins d'avis contraire, l'assistant range l'équipement aux endroits indiqués et, si ce n'est déjà fait, il achemine la pellicule exposée vers le laboratoire. Lorsque les photos sont en noir et blanc, il n'est pas rare que les films soient traités au studio même, par l'assistant ou par le photographe.

Voilà en gros le travail d'un assistant, du moins de mes assistants. Le salaire est, bien entendu, équivalent au salaire minimum, mais il peut s'élever jusqu'à $50.00 par jour, dépendamment de l'expérience. Cela représente exactement 5 fois plus que ce que je recevais, il y a environ 12 ans, compte tenu de l'inflation. À ce moment, je devais assister parfois deux et même trois photographes à la fois. Des 12 heures par jour, sans temps supplémentaire, j'en ai connu plusieurs et je ne le faisais pas à la demande de mes patrons, je me portais volontaire. J'avais ce qui semble manquer de plus en plus aujourd'hui dans ce métier: le désir d'*apprendre!* Peut-être (juste peut-être) que si je réussis bien dans ce que je fais aujourd'hui, c'est à cause de ces heures de travail incalculables, motivées non pas par le gain, mais par le besoin d'en savoir un peu plus, toujours plus. Ces heures passées à suer pour un photographe en qui j'avais un respect aveugle me permettent aujourd'hui de prendre des vacances bien méritées, deux fois l'an.

On n'apprend pas tout dans les écoles, mais ces dernières sont quand même nécessaires et j'ai beaucoup de respect pour les professeurs qui ont à répéter continuellement à leurs élèves les principes de base de la photographie. C'est un peu comme apprendre à marcher: c'est frustrant, mais vital et logique.

L'espace me manque pour vous décrire des éclairages particuliers, tantôt simples, tantôt compliqués et propres à certains objets qui, somme toute, n'aiment pas se faire photographier comme, par exemple, les sauces qui figent à vue d'oeil; les miroirs ou objets miroitants, lesquels boudent la pellicule si on ne leur construit pas une petite maison (tente) bien à eux; les meubles, grande famille aux caractères multiples et dont le grain du bois est souvent capricieux, au point de nécessiter des filtres spéciaux en noir et blanc comme en couleurs et même différents films en noir et blanc pour diverses sortes de bois; certaines bouteilles de boisson, conçues uniquement pour être consommées et qui n'ont rien de photogénique; les fromages, très bons pour la santé, mais dont l'odeur, accentuée par la chaleur des lampes, ferait fuir le plus affamé des hommes; la bière qui, soumise à un savant mélange, devient plus appétissante encore qu'en réalité; une boisson gazeuse très populaire, mais qu'il faut diluer avec 50% d'eau pour la rendre photographiquement désaltérante; le bacon qu'il faut d'abord tremper dans le lait avant de le faire cuire normalement, pour lui donner un aspect croustillant et doré sans le brûler; de la crème glacée soutenue par de la glace sèche pour qu'elle garde sa consistance sous les projecteurs; un mètre de soie qu'on laisse tomber et cela, autant de fois que c'est nécessaire; le stade olympique qui doit être photographié avec seulement une lampe et

deux bonnes heures d'exposition, en pleine nuit; des ascenseurs avec des gens qui entrent et sortent tout le temps, en plein jour, alors qu'on veut photographier un ascenseur aux portes fermées sans l'ombre d'un être humain...

Il y a tellement de choses qu'un photographe commercial est appelé à faire que, même avec toute la bonne volonté du monde, je ne pourrais les énumérer toutes dans ce chapitre.

Conclusion

Après avoir démystifié un tant soit peu le rôle du photographe commercial, je me sens un peu coupable, mais ce n'est pas d'avoir dévoilé des secrets bien gardés par certains confrères, parce que pour moi, des secrets en photographie, il ne doit pas y en avoir. Le peu que je sais a été et restera toujours à la disposition de mes assistants et des gens à qui j'ai le plaisir de parler lors de conférences ou de cours particuliers, même si ma femme est souvent d'avis que j'en dis trop!... S'il avait fallu que les gens qui m'ont appris le métier m'aient caché quelque information, si banale fut-elle, je ne serais pas en mesure de vous dire grand chose aujourd'hui. L'information c'est comme la vie, ça se transmet souvent gratuitement et sans honte à tous ceux qui sont assez humbles pour savoir écouter ce qu'un autre peut leur apprendre. Je vous avoue qu'il y a des confrères que je consulte volontiers lorsque techniquement je ne me sens pas à la hauteur. Je leur suis reconnaissant de ne m'avoir jamais refusé la moindre information. On récolte ce que l'on sème.

Je me sens un peu coupable d'avoir été trop franc. La parole est d'argent... les écrits restent, dit-on et puis comme je crois au bon Dieu, Il saura bien me pardonner certaines réflexions et quelques sautes d'orgueil et de fierté.

De toute façon, c'est dans ma nature de dire ce que je pense lorsqu'on me le demande; comme mon confrère Antoine, que je respecte énormément, m'a demandé d'y aller sincèrement, je ne pouvais le laisser tomber, encore moins vous, cher lecteur.

J'espère que vous serez également à la hauteur et me pardonnerez mes erreurs de prose sinon de jugement. Une chose me console: personne n'est parfait et comme j'ai encore beaucoup à apprendre, vous me laisserez bien prendre le temps de lire ce que mes confrères spécialistes ont à dire. J'irai donc de ce pas apprendre des choses nouvelles et sûrement plus intéressantes que celles que Bob avait à vous communiquer.

Le photographe de mode

par Serge Barbeau

Pour commencer, je dois définir deux types distincts de photographie de mode. Non pas pour le plaisir de faire de la théorie, mais parce qu'ils découlent de deux façons différentes d'exercer le métier de photographe de mode. Dans les deux cas cependant, le but final est bien sûr de mettre en évidence un produit: le vêtement.

On peut montrer le vêtement comme on montre n'importe quel autre produit, c'est-à dire comme il est et pour ce qu'il est, sans plus. En ouvrant, par exemple, le catalogue d'un grand magasin, on y trouve un travail ni trop raffiné, ni trop recherché; des images simples nous font voir un produit contre un fond volontairement neutre. C'est un travail descriptif, propre, mais banal. Il peut être accompli par n'importe qui ou plutôt par personne en particulier, en ce sens qu'il ne requiert aucune aptitude spéciale, sauf une solide connaissance des techniques photographiques. Ce type de travail est très rémunérateur. D'abord parce qu'il est répétitif et habituellement à grand volume et ensuite parce qu'il n'exige que peu de changement dans l'approche technique et imaginative. Il n'est cependant pas recommandable pour les tempéraments trop artistes, qui ont habituellement une phobie avouée de la routine.

Le deuxième type de photographie de mode n'a rien de commun avec le précédent, sinon qu'il exige aussi une maîtrise des techniques photographiques. Cette deuxième approche consiste à introduire le produit à l'intérieur d'une situation particulière, selon l'imagination du photographe, ce qui lui confère une valeur autre que celle d'un simple vêtement. Le public ne s'identifie pas comme le possesseur éventuel d'un produit en raison de ce qu'il est, mais plutôt de ce qu'il représente. Dans le cas du vêtement, on considère avant tout l'allure qu'il donne à celui qui le porte. Le travail du photographe dans ce cas est donc de créer une image autour du vêtement qu'il doit présenter, de fabriquer un milieu par lequel le produit peut avoir un impact émotif sur celui qui en verra la représentation photographique.

Il suffit de se rappeler quelques exemples de campagnes publicitaires de produits vestimentaires pour illustrer cette seconde approche. Nous en retenons deux en particulier: celles des chaussures Charles Jourdan et des vêtements Cacharel. Ces exemples ont en commun le fait qu'ils attirent l'attention du public en créant autour du produit un univers particulier, un contexte unique. Pour Cacharel, l'auteur Sarah Moon nous entraîne dans un univers quasi religieux. Des images angéliques et froides, des tons pastel et des formes simples. Les personnages paraissent flotter dans un univers voisin du rêve. Les vêtements semblent servir d'accessoires dans un monde créé avec des images qui s'apparentent beaucoup à la peinture impressioniste.

Pour Guy Bourdin (chaussures Charles Jourdan) c'est l'inusité, avec une approche quelque peu surréaliste. Le sujet est inséré dans une situation fabriquée de toutes pièces et qui ne semble correspondre à aucune réalité, même si les scènes se déroulent souvent dans des endroits publics communs. Tout y est structuré, construit à l'excès. Les angles de prise de vue sont inhabituels, très souvent au ras du sol. Les éclairages sont durs et l'utilisation de plusieurs sources de lumière confond le spectateur. Il en résulte des distorsions savantes et contrôlées, des éclairages que l'on ne rencontre jamais dans la vie ordinaire. Plutôt que de sécuriser le spectateur, on le projette dans un univers unique et fermé. Le cas de Bourdin est exceptionnel. Il refuse de se plier aux exigences d'un directeur artistique et ne soumet aucune photo à l'approbation d'un client. Dans son cas, le travail est à prendre ou à laisser... et personne ne laisse!

On peut se fabriquer ou s'inventer une carrière, mais on ne se donne pas un talent. La photographie de mode apparaît à tout profane comme le métier rêvé. Le monde de la mode est plein de promesses, de voyages, de cocktails et surtout de jolies filles. Toute personne qui a évolué sérieusement dans ce milieu aura cependant vite fait de vous enlever ces belles illusions. La photographie de mode promet beaucoup mais finalement ne donne que très peu. Il y a dans ce domaine plus d'incompétence à tous les niveaux que dans toute autre discipline photographique. On n'y travaille jamais seul. Là encore, s'il n'y avait que le sujet, tout serait simple. Mais il faut compter avec une équipe: maquilleuse, coiffeur, styliste, directrice de mode, de magazine, de journal, d'agence, etc. Donc, en plus d'accomplir son travail, on doit diriger tout ce monde sans pour autant y laisser sa personnalité. Il arrive souvent que chacun veuille imposer au photographe les exigences propres à son métier. Pour qu'il en sorte un

travail conforme au caractère personnel du photographe, ce dernier se doit de diriger les efforts individuels vers un seul et même but: le résultat final, qu'il est le seul à pouvoir visualiser dans tous ses détails. Pour agir ainsi, il faut avoir une bonne dose de confiance en soi et surtout, être sûr de ce que l'on veut. L'image finale doit apparaître clairement avant même que le travail ne soit accompli. Le photographe doit surtout se rappeler que si les résultats ne sont pas satisfaisants, il sera le premier à en être blâmé. Donc, la première règle est de prendre toutes ses précautions. Aussi banales ou farfelues que soient ses idées, il lui faut être absolument certain d'avoir à sa disposition le matériel nécessaire à leur réalisation. De la connaissance technique à l'équipement, en passant par les accessoires, tout doit y être; il y va de sa réputation.

La photographie de mode est l'une des disciplines qui laisse le plus de place à l'imagination du photographe. Cela est très réjouissant me direz-vous, mais c'est aussi excessivement exigeant. Chaque travail demande un nouvel effort. Le photographe de mode se doit d'être avare de ses idées: elles lui sont précieuses et il doit en contrôler le débit. Le client qui l'engage ne cherche généralement pas un technicien, mais un styliste qui donnera à ses vêtements une image de marque avantageuse.

Le changement est indispensable. Bien sûr, il ne s'agit pas de tout chambarder d'une photo à l'autre, mais chacune doit avoir la même intensité tout en demeurant différente. Il faut éviter de trop pousser la recherche d'un traitement particulièrement adapté à une situation. Chaque photographe a un style, qu'il lui faut trouver. Il demeure très important que l'auteur d'une photo puisse être reconnu à travers son travail. Le changement doit donc être perceptible mais amené de façon subtile.

Les outils

Le photographe de mode, comme tout autre spécialiste, est un professionnel à qui on fait appel pour exécuter un travail précis et de qualité. Il doit donc posséder un équipement propre et fiable en toute occasion.

Il n'existe pas d'équipement conçu exclusivement pour la photo de mode. Chacun utilise le matériel qui correspond le mieux à ses préférences. Il faut, bien sûr, acquérir un bon appareil de base mais le choix des accessoires, objectifs, etc. se fait en fonction de sa méthode particulière de travail. Il est cependant sage de choisir un équipement durable et pour lequel l'entretien et la réparation puissent s'effectuer efficacement et rapidement.

Selon la nature du travail à faire, il est souvent nécessaire et même préférable d'opérer à l'extérieur du studio. La rue, l'hôtel, ou tout autre endroit public propice deviennent souvent ainsi l'atelier de pose des photographes de mode. La mobilité et la versatilité de l'équipement sont alors des atouts précieux. Un bon appareil 35 mm et un système d'éclairage compact sont donc indispensables.

Le studio

Pour travailler efficacement, un photographe de mode doit absolument disposer d'un studio qui soit spacieux sans être trop grand. Un espace y est strictement réservé à la prise de vue, un autre est prévu pour la préparation du mannequin et des vêtements.

L'aire de prise de vue idéale devrait être de 4 X 3 mètres. Bien que le cadrage dépasse rarement 2,75 mètres de haut, il est bon de prévoir 1 mètre de plus afin d'avoir un peu de latitude pour installer l'éclairage. Les sources de lumière sont le plus souvent constituées de flashes électroniques; cependant, elles peuvent être de n'importe quelle nature, dans la mesure où la qualité du travail et l'efficacité n'en sont pas affectées. Certains photographes préfèrent les lampes au tungstène, d'autres l'éclairage au quartz. Là encore, l'effet recherché est le seul élément déterminant.

Le meilleur moyen d'éviter la monotonie et la répétition dans le travail de studio est de s'entourer d'éléments de scène et de composition simples et réutilisables. Les formes géométriques sont évidemment les plus faciles d'emploi. De cette façon, l'artiste peut, avec les mêmes matériaux, créer des environnements nouveaux pour chacun de ses travaux. Après avoir pris connaissance de la nature du travail qu'on lui demande, le photographe commence à élaborer une mise en scène. Les seuls éléments qu'il peut vraiment faire varier sont d'abord l'éclairage et ensuite le décor. Mais l'essentiel est encore l'imagination du photographe. En utilisant bien ce "matériau de base", il suffit souvent de quelques panneaux de 1,25 X 2,50 mètres recouverts d'un tissu, ou simplement peints, pour bâtir un décor parfaitement adéquat. Un cube de bois de bonne dimension peut aussi servir de centaines de façons.

Le studio est un de mes outils les plus importants. C'est celui qui reflète le mieux le caractère et les goûts du photographe. Il est personnalisé et aménagé selon les besoins spécifiques de son art. On juge souvent

des qualités et des aptitudes d'un photographe sur l'installation de son studio... et on n'a pas toujours tort!

La chambre noire

La chambre noire occupe une place de première importance dans la photographie de mode. Les clichés étant presque toujours destinés à être publiés dans des journaux ou des magazines, le travail de chambre noire doit pouvoir s'effectuer rapidement et dans les meilleures conditions possibles.

Il est important de bien connaître les techniques d'impression en noir et blanc, de façon à pouvoir corriger au moment du tirage les irrégularités ou les imperfections dues à la prise de vue. Bien que la manipulation à ce niveau doive être le plus possible évitée, elle devient parfois indispensable.

Pour ce qui est de la couleur, le choix d'un laboratoire fiable est un élément clé dans toute discipline photographique. Là encore, le type de pellicule et le format ne sont soumis à aucune restriction précise. Il faut simplement bien connaître tous les matériaux disponibles et savoir les employer au mieux suivant les résultats que l'on recherche.

Conclusion

Malheureusement, un photographe de mode ne peut réussir dans sa spécialité s'il limite ses activités au Québec et au Canada. Bien que le marché du vêtement y soit assez important, il demeure que les grandes tendances de la mode viennent d'Europe ou des U.S.A... Cela réduit considérablement ses possibilités de faire du travail créateur et, aussi, de se tailler une place parmi les grands de la profession. Le photographe qui désire poursuivre sa démarche doit donc se rapprocher des véritables créateurs de la mode internationale. Les marchés américains et européens se révèlent assez ouverts aux photographes qui ont une approche artistique personnelle.

Pour réussir, il faut avoir avant tout les reins solides, car la compétition est aussi chaude que sérieuse. Le plus important est de produire des images originales qui correspondent à un style bien personnel. Le photographe de mode est un être marginal et créateur, prêt à essayer de nouvelles techniques pour les adapter à son goût et à sa conception de la photographie. Il n'est ordinairement pas soumis à une direction artistique stricte. Il doit créer ses propres images à partir de sa culture, de ses expériences et, souvent, de ses propres phantasmes.

Le photographe d'aliments
par Robert Joanette

Le photographe d'aliments, comme tous les autres spécialistes de la photographie, se définit comme un créateur d'images. Loin de moi l'idée d'entourer cette activité professionnelle du mythe de l'artiste soudainement inspiré. Je décrirais plutôt la photographie d'aliments comme un travail orienté vers la production d'images, au service d'un des domaines les plus essentiels dans notre société de consommation: la nourriture.

Qu'est-ce qu'un photographe d'aliments?

Dans un atelier de pose aux lumières tamisées, coiffé de son bonnet blanc, le chef avance d'un pas orgueilleux; il annonce: "Cailles d'automne". Il pose le plat sur une vieille table de bois d'érable, jaunie par un siècle de manipulation quotidienne, témoin passif d'événements passés racontés autour du chaudron. Dans une vaisselle St. John reposent de tendres cailles, mouillées d'une sauce onctueuse; derrière le plat se dessine une fenêtre à carreaux, au travers de laquelle meurt un soleil d'octobre. Non loin de là, devant la table, se tient en attente un gourmet quelquefois gourmand; il s'approche silencieusement, fixe les cailles encore toutes chaudes, dont le fumet s'échappe discrètement dans la pièce à peine éclairée. L'équipement photographique déjà préparé, il passe à l'action. Un premier déclic..., puis un autre..., les cailles toutes dorées viennent de passer à la postérité!

Souvent le photographe d'aliments a la responsabilité de décorer la table, de faire une mise en scène pour la prise de vue. Quand il travaille en studio, à une photo de recette par exemple, il doit réunir différents éléments pour constituer l'image qu'il fixera sur la pellicule: le mets sujet de la recette, la vaisselle appropriée, la nappe ou les napperons décoratifs, un objet ou un aliment accompagnant le mets principal. Il doit créer, en composant avec l'espace, les objets et les couleurs, une atmosphère vraisemblable qui rendra le plat appétissant et qui donnera au spectateur le goût de le préparer et de le savourer.

Nous sommes quelquefois appelés à produire des documents didactiques. À l'intérieur d'une institution d'enseignement culinaire, le personnel enseignant peut avoir besoin d'illustrer les différentes méthodes et étapes de travail, la nature et la fonction de divers aliments et ingrédients. Nous nous présentons alors à la salle de cours pour exécuter les prises de vue demandées. Mais quelquefois, selon les exigences pédagogiques et techniques, il faut procéder, en atelier de pose, à une reconstitution des démonstrations culinaires.

Il se peut aussi qu'on nous demande, avec l'aide de personnes ressources, de préparer un menu visuel. En collaboration avec un coordonnateur de projet, un recherchiste, un chef cuisinier, un linguiste et un graphiste, nous produisons des images des mets qui sont offerts dans un établissement de restauration. Il faut alors donner beaucoup de précision, de clarté, de définition au plat afin d'éclairer le consommateur sur la nature des aliments offerts. L'image représentée sur des affiches ou des cartons publicitaires fournira une description du plat cuisiné et, ainsi, remplacera les explications du garçon de table ou abrégera la longue méditation du client sur un menu écrit.

Mais les activités du photographe d'aliments ne s'arrêtent pas là. Un jour, on lui proposera d'être présent à tel événement, réception ou démonstration culinaire. Et il devra, armé de quelques appareils-photo, réaliser des clichés qui seront insérés dans les archives de l'institution ou de l'établissement désigné.

La revue des principales activités du photographe d'aliments nous amène à parler des relations que nous entretenons avec notre milieu de travail. De la cuisine au studio ou du salon de réception à la salle de cours, nous nous mettons à l'écoute des conseils du chef cuisinier et des autres personnes ressources qui l'entourent. Il nous faut connaître certains aspects de leur travail afin de mieux réaliser le nôtre. L'esprit d'équipe, la patience, la concentration et l'acuité visuelle sont des qualités essentielles pour la pratique de ce métier.

Loin du grand faste ou des tragiques événements de la vie, le photographe d'aliments travaille le plus souvent seul dans un atelier de pose; dans une attitude réflexive, comme le peintre devant les objets, il emprunte le regard du poète et fait parler les plats...

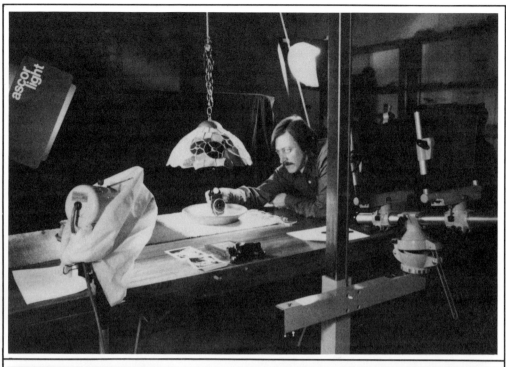

Art et technique

Même si, au Québec, il n'existe pas d'école de photographie qui offre cette spécialisation, on ne s'improvise pas photographe d'aliments. Il est nécessaire de posséder une formation générale, permettant l'acquisition des techniques de base nécessaires à l'utilisation des appareils-photo et au développement des films. L'école idéale de la photographie, c'est la pratique. En comparant les différentes spécialisations de ce métier on peut dégager le concept suivant: de façon générale, c'est le sujet à photographier qui détermine la technique de travail. Comparativement au photographe de presse, le photographe d'aliments ne travaille pas dans l'instantanéité; le temps n'a donc pas pour lui la même dimension. Il n'est pas dépendant des événements, de la nécessité de la communication rapide des informations. Il a souvent beaucoup de latitude pour les prises de vue en atelier; enfin, il peut recommencer plusieurs fois la même prise de vue dans le même environnement; évidemment, la préparation du mets à photographier sera, dans ce cas, à reprendre. Le photographe d'aliments travaille avec des objets statiques, alors que le photographe de presse, comme d'autres spécialistes, doit généralement fixer des images mouvantes.

Posséder des qualités d'ensemblier est un atout sérieux à la réalisation de ce travail. Car, lorsque le spécialiste de la photo d'aliments composera une image, il aura à jouer avec les espaces et les couleurs et il devra combiner tous les éléments culinaires qui regardent la présentation du mets avec d'autres éléments décoratifs et techniques. Déjà, sa créativité est à l'oeuvre. Quelquefois, il peut choisir d'intégrer une projection arrière: paysage, scène d'occasion; afin de créer une atmosphère, il situe souvent le plat présenté dans un décor naturel et agréable.

S'il a déjà expérimenté les différentes techniques d'éclairage, il pourra, à ce stade, trouver facilement et astucieusement la lumière nécessaire pour réussir la prise de vue. Le photographe d'aliments utilise principalement l'éclairage au flash. Lorsqu'il intègre une projection arrière, cet éclairage lui permet d'obtenir une plus grande profondeur de champ. Et puis, il faut noter que le flash conserve mieux que les lampes 1000 watts, par exemple, la fraîcheur et l'éclat des aliments, des fruits et des légumes exposés. Un petit jet de vaporisation à l'eau claire suffit alors à leur conférer couleur et texture naturelles. Le rôle de l'éclairage bien réglé est de mettre en valeur le plat ou l'aliment présenté afin de le rendre appétissant pour le spectateur qui est aussi consommateur. Il est important d'ajouter que dans le cas des plats préparés, la prise de vue doit être faite dans le plus court délai possible, sous peine de se retrouver devant une sauce figée et décolorée, ou une volaille à la peau ratatinée. Comment la photo remplirait-elle alors sa fonction qui est de montrer la qualité des aliments?

C'est dans le but d'obtenir une plus grande diversité de décors que le photographe d'aliments pourrait choisir d'utiliser une projection arrière comme fond de scène. Ce choix, au niveau de la composition de l'image, exige la pratique de la double exposition, c'est-à-dire l'emploi de deux prises de vue pour un même négatif: une pour le fond de scène et l'autre pour le mets. Cette technique particulière qu'est la projection arrière pose quelques exigences. Il faut pouvoir disposer d'un espace assez grand, d'un écran translucide, d'un projecteur à diapositives 35 mm et, bien sûr, d'un nombre assez volumineux de diapositives.

Afin de réaliser des photographies intéressantes et réussies au niveau technique, le photographe d'aliments privilégie l'utilisation de l'appareil grand format 10 X 13 cm. Cet outil s'avère un instrument précieux et efficace; il assure à l'image une plus grande définition dans les textures, et une netteté supérieure dans le rendu des lignes. À cause de sa précision, l'image est fidèle à la réalité. Une fois qu'il aura maîtrisé l'appareil grand format, et avant la prise de vue définitive, notre technicien photographe pourra utiliser un dos polaroïd afin d'évaluer la qualité de l'éclairage et de l'image obtenue et apporter les corrections qui s'imposent. Cette opération est en quelque sorte une évaluation instantanée. Elle offre de nombreux avantages et permet notamment des économies de temps et d'argent.

On peut se douter que les films en couleurs sont plus souvent employés que les films en noir et blanc. Le photographe d'aliments est intéressé à produire des photos qui se rapprochent le plus possible de la réalité et tout comme les spécialistes de l'art culinaire, il considère que la couleur est un élément important de son oeuvre. La photographie d'aliments, utilisée pour attirer l'oeil et toucher la sensibilité gustative du consommateur, atteint plus facilement son but par la couleur. Une autre observation s'impose à propos de l'utilisation des films. La plupart du temps, le photographe procédera à quelques prises de vue de la même image, en se servant d'un négatif en couleurs, d'une diapositive en couleurs et, enfin, d'un négatif en noir et blanc. Ce processus permet au photographe d'utiliser la même image comme photo de presse, de l'inclure dans un livre de recettes ou encore d'en faire un agrandissement pour une affiche. Il a l'avantage de conserver à l'image sa qualité originale, ce que la production d'une copie ne peut offrir.

Selon les exigences et les conditions de travail, le photographe d'aliments aura à développer lui-même ses négatifs ou s'assurer, comme c'est mon cas, les services professionnels d'un laboratoire compétent et efficace.

Une fois le travail de laboratoire terminé, les documents visuels seront classés selon leur forme d'abord, soit négatif et positif, et ensuite, ordonnés selon les sujets. Pour les conserver, on les insère dans des pochettes plastifiées appelées encarts. Quelques institutions ou établissements culinaires possèdent une audio-vidéothèque où des techniciens spécialisés s'occupent de dresser des systèmes des fiches numérotées et disposées dans des classeurs.

La photographie d'aliments est depuis quelques années en demande croissante, qu'il s'agisse de publications dans les journaux ou périodiques ou d'affiches publicitaires, etc. Notre champ d'activité est vaste puisque les secteurs qui touchent à l'alimentation sont multiples. Mentionnons l'agriculture, l'industrie alimentaire, les commerces d'épicerie et de restauration, les maisons d'enseignement d'art culinaire, qui sont autant de lieux où la photo d'aliments sert à l'information et à la communication. Les maisons d'édition sont également une clientèle appréciable puisqu'elles publient un nombre de plus en plus grand de livres de recettes. Là comme ailleurs, le spécialiste de la photographie d'aliments peut remplir la double fonction d'informateur et d'artiste, le domaine visuel étant son champ d'expérimentation. Enfin, quelques écoles d'art culinaire retiennent les services de ce spécialiste pour la production de documents didactiques servant à l'enseignement de différentes techniques de cuisine.

L'expérience professionnelle

Du premier jour, où l'on apprend à tenir une cuillère dans sa main pour manger, jusqu'à celui où, devant une "charlotte beauceronne" ou un "gâteau du diable", on manie avec dextérité un appareil-photo, beaucoup de négatifs et de positifs ont passé... Le goût des bonnes choses ne demande sans doute pas d'apprentissage très spécial pour se développer. La nature est en cela très capable de s'occuper d'elle-même! Aimer la bonne cuisine n'est malheureusement pas suffisant pour faire d'un gourmand ordinaire un photographe culinaire compétent! En ce qui me concerne en tout cas, même si j'aimais la photographie au moins autant que la bonne chère, j'ai été obligé de l'apprendre. Et, croyez-moi, ça ne s'est pas fait tout seul!

Depuis le soir où, âgé de treize ans, en compagnie de deux amis, j'ai illuminé la Place Ville-Marie avec un flash afin de réaliser des reportages photographiques, je n'ai pas cessé de poursuivre un vieux rêve d'adolescent: faire des photos. L'itinéraire que j'ai suivi ne s'est pas effectué sans

Vers une nouvelle cuisine québécoise

Institut de tourisme et d'hôtellerie du Québec

La Documentation québécoise
Éditeur officiel du Québec

arrêt, sans hésitation et sans surprise. J'ai développé en chambre noire mon premier négatif à l'âge de quinze ans; l'image surgissant dans le noir revêtait alors pour moi le caractère de l'apparition, du miracle. Je me sentais comme un alchimiste; j'avais déchiffré et compris les instructions, j'avais mélangé, opéré selon les prescriptions pour à la fin trouver une forme, la lumière, l'image. La magie avait passé! Puis, un beau matin, il me fallut m'identifier comme assistant social ou comme photographe... "Qu'est-ce que je fais?" Je ne me souviens plus trop comment, mais j'avais passé un an à la section photographie de l'École des métiers de Trois-Rivières. Je me suis retrouvé à la fois chômeur et photographe. La désillusion qui frappe le diplômé lorsqu'il explore le marché du travail s'est installée tranquillement.

Obstiné et fidèle à mon choix, j'ai occupé par la suite différents emplois connexes à la photographie comme celui de vendeur d'appareils-photo, situation dans laquelle je m'appliquais plus à informer mes clients qu'à leur vendre à tout prix mes appareils. À la pige, je suis devenu assistant-producteur, puis photographe de plateau pour le tournage d'un film documentaire et enfin photographe pigiste. Pendant tout ce temps, je me suis familiarisé avec diverses spécialités de la photographie, depuis le portrait jusqu'au reportage.

Quelques années plus tard, après avoir répondu à une demande d'emploi comme technicien en audio-visuel, j'ai passé quatre ans dans une école d'une commission scolaire de la région de Montréal. Ma tâche consistait à produire du matériel didactique, des photographies, des diaporamas et aussi, à réaliser des photo-reportages sur les activités para-scolaires ou encore des documents visuels à caractère administratif ou pédagogique. J'avais alors trouvé la possibilité d'appliquer la théorie acquise lors de ma formation académique. Mon rôle consistait à faire de l'image un outil d'enseignement efficace. C'était passionnant, surtout au début.

Ensuite, le goût de faire autre chose, de changer d'environnement, a provoqué un changement de milieu de travail. Un jour, j'ai postulé un autre poste dans une école d'art culinaire et c'est là que, depuis 1976, je travaille comme spécialiste en photographie d'aliments. C'est donc un peu par accident et beaucoup par intérêt pour la photographie que j'en suis arrivé à me spécialiser dans ce domaine. Quoique certains jours, je me demande si, comme l'âne de la fable, en plus de "l'occasion et de l'herbe tendre", "quelque diable" aussi ne m'aurait pas poussé...

La photographie aérienne
par Deitrich Nebelung

Il semble exister un mythe à propos de la photographie aérienne et nombre de photographes s'en écartent parce qu'ils croient que cette spécialité exige un équipement excessivement coûteux. Bien sûr, on trouve sur le marché des appareils dispendieux, mais ils sont destinés à des usages très particuliers. En fait, à part quelques spécialistes, les seuls utilisateurs de ce genre d'équipement sont des organismes gouvernementaux: ministère des Mines, Défense nationale, etc.

Comme bien d'autres spécialités, la photo aérienne n'est connue que par son côté romantique: celui de la photographie dite "verticale". Cette technique demande de l'équipement très compliqué, grâce auquel il est possible de prendre des photos en maintenant le plan du film parallèle au sol et l'axe de l'objectif perpendiculaire à celui-ci. Malheureusement, ou plutôt heureusement, l'emploi de cette méthode est réservé à la cartographie et aux études scientifiques. En fait, la grande majorité des photos aériennes doivent être prises "en oblique". Nous employons pour cela les mêmes appareils que les autres photographes en y apportant parfois de légères modifications, qui tiennent plus du bricolage que de la haute technologie. Pour vous donner une idée de ce qu'est vraiment la photographie aérienne, je vais commencer par vous raconter mes débuts dans ce métier.

Mes débuts

Plusieurs raisons peuvent nous attirer vers la photographie aérienne mais en ce qui me concerne, les deux principales furent la curiosité et le besoin. À mon arrivée au Canada, en 1958, j'ai travaillé pour un studio de la ville de Midland, en Ontario. Je m'occupais de photographie commerciale, de mariages, de portraits et je faisais aussi des photos de paysages. Notre studio étant situé au coeur de la baie Georgienne, lieu touristique par excellence, nous avons vite compris l'importance du marché des cartes postales. À cette époque, la plupart d'entre elles étaient tirées de photos prises au sol et de qualité médiocre. Désireux de conquérir ce marché, nous voulions reprendre les photos déjà existantes des hôtels, motels, plages et sites historiques de la région. Nous pensions, avec raison d'ailleurs, que des photographies aériennes allaient nous attirer une clientèle intéressante. À la première belle journée ensoleillée, nous avons donc loué un petit avion Cessna 172, enlevé une de ses portes et... vogue la galère! Comme appareils, nous avions apporté un Linhof Super Technika 10 X 12 cm et un Yashica 6 X 6 cm à deux objectifs. Ce premier vol m'a été beaucoup plus profitable que la centaine d'autres qui l'ont suivi. C'est à ce moment que j'ai pu établir, entre autres choses, "Les sept commandements du photographe aérien".

1. Ne pas manger à la hâte ni boire un Coca-cola juste avant le départ, surtout par une journée chaude et venteuse. Les trous d'air et les courants atmosphériques montants peuvent déranger votre estomac. (Je n'ai jamais été malade... depuis ce premier vol!)

2. Si on veut se servir de deux sortes de pellicules, il est inutile de se faire accompagner par un collègue pour photographier du siège arrière. Il est préférable que l'avion fasse quelques tours de plus au-dessus du site et que vous changiez alors de pellicule ou d'appareil. (Vous avez deviné juste: le costume de mon patron a été éclaboussé par mon déjeuner).

3. Bien vérifier tous les appareils et le fonctionnement des obturateurs avant d'insérer la pellicule, car le bruit de l'avion empêche d'entendre le déclenchement. (Vous avez encore deviné: mon patron s'est retrouvé avec des images non-exposées...) Si possible, apporter un appareil de remplacement.

4. Pour le temps de pose, faire des essais avec tous les objectifs que vous désirez utiliser, aux vitesses de 1/250 et de 1/500 de seconde et vérifier si l'exposition est constante.

5. À moins d'avoir de bonnes assurances, ne jamais tenir son appareil en dehors du fuselage de l'avion, à cause du remous d'air provoqué par l'hélice. (Vous avez encore raison: j'ai failli échapper mon Linhof.)

6. Pour les vols de longue durée, apporter de la nourriture légère.

7. Avant le départ, établir un plan de vol (pour éviter de revenir en arrière) et en informer le pilote.

Si vous suivez ces "sept commandements", tout devrait bien aller. Mon aventure prouve que la meilleure façon d'apprendre, c'est encore de "plonger". Et rappelez-vous d'une chose: c'est seulement au retour, quand vous quittez à pied le terrain d'atterrissage, que tous les dangers sont écartés!

Clients éventuels

La liste peut être longue. Voici quelques exemples: agences de publicité, industries, architectes, entrepreneurs en construction, lotisseurs, agences touristiques, propriétaires de maisons, d'hôtels, de motels, de restaurants, le gouvernement et même la compagnie à laquelle vous vous adressez pour louer un avion.

Photographie au sol
et photographie aérienne

Les photographes qui n'ont jamais fait de photographie aérienne pensent souvent que c'est très difficile. Il n'en est rien. Avec des connaissances moyennes en photographie, n'importe qui peut faire de la photo aérienne en oblique.

Le brouillard est le principal obstacle parce qu'il atténue les contrastes et produit un reflet bleu sur les photos en couleurs. De toute évidence, pour minimiser cet effet, il vaut voler par temps clair (quand il y a peu d'humidité). Le brouillard se voit davantage sur les photos prises à contre-jour et il est moins visible avec un éclairage de face. Mais celui-ci donne des images ternes. L'éclairage rasant, un compromis entre les deux, est souhaitable. Les filtres peuvent aussi réduire l'effet du brouillard. Je vous en parlerai un peu plus loin.

Quel appareil choisir?

Celui dont vous vous servez quotidiennement ou, plus prudemment, celui dont vous hésitez à vous débarrasser depuis longtemps feront sûrement l'affaire. Tout dépend de l'utilisation qui sera faite des photos. Les appareils 35 mm devraient servir pour les diapositives ou pour du travail de repérage. Le format minimum pour faire des agrandissements et de la reproduction est le 6 X 6 cm (2¼ X 2¼) ou de préférence le 6 X 7 cm (2¼ X 2¾). Comme la plupart des photos aériennes ont un cadrage horizontal, ce dernier donne une superficie d'image maximale. Le 10 X 12 cm est préférable pour les agrandissements de fortes dimensions. Pour ma part, j'opte plutôt pour le 12 X 15 cm parce qu'il est très rare qu'on obtienne du premier coup le cadrage exact. Il faut donc presque toujours couper la photo, ce qui en réduit le format de toute façon. Les caméras aériennes ne sont à peu près d'aucune utilité pour les prises de vue en oblique. En plus, elles ont les désavantages d'être chères ($10 000 et plus) et lourdes. Les pellicules sont difficiles à trouver et nécessitent habituellement un équipement spécial pour le traitement.

Mon appareil préféré, un vieux Linhof Technika 12 X 15 cm était usé et branlant. Il était muni d'un objectif Schneider Symmar 210 mm. Pour l'employer comme appareil de photographie aérienne, j'ai dû lui apporter quelques modifications. Pour commencer, j'ai réglé la commande de mise au foyer sur le symbole "infini" et ajusté l'obturateur à la vitesse de 1/400 de seconde. Le plus difficile a ensuite été de rendre le plan du film parallèle à celui de l'objectif et de faire la mise au point d'un coin à l'autre de l'image. Cela fait, j'ai fabriqué une sorte de tube d'aluminium que j'ai installé autour du soufflet en le fixant au boîtier de l'appareil et au support de l'objectif. De cette façon le vent ne pouvait faire ballotter le soufflet, ce qui constitue le problème majeur de ce genre d'appareils lorsqu'ils se trouvent soumis à l'action d'un fort courant d'air, comme c'est le cas quand on les utilise dans un avion dont la porte a été enlevée. La difficulté provient du fait que le ballottement du soufflet fait vibrer l'objectif et produit un effet de succion qui peut faire bomber légèrement la pellicule, ce qui rend l'image floue. Je vous conseille donc d'employer mon petit système avec tous les appareils à soufflet. L'aluminium est plus durable mais du carton et du ruban gommé conviennent aussi bien.

J'ai essayé d'utiliser un Crown Graphic ou Graflex sans tuyau d'aluminium, mais je n'ai pas obtenu les résultats attendus à cause des vibrations du soufflet. Si vous devez vous servir d'un appareil de ce genre, gardez-le bien à l'intérieur de l'avion car le vent risque de l'emporter.

Si vous avez l'intention malgré tout d'acheter un appareil de photographie aérienne, je vous suggère de regarder du côté de l'armée (surplus de matériel de guerre). Cependant, ces appareils ont un désavantage majeur: la pellicule adéquate est difficile à trouver. Les manufacturiers exigent ordinairement une commande d'au moins 50 rouleaux quand la dimension d'un film n'est pas courante et il faut compter de 6 à 8 se-

maines pour la livraison. L'appareil Vinton est l'un de ces modèles qui proviennent des surplus militaires. Il nécessite l'emploi de rouleaux de pellicule de 70 mm.

La plupart des appareils de photo aérienne modernes sont conçus pour utiliser des rouleaux de pellicule grand format et ils sont motorisés. En général, on les alimente en les branchant dans la prise de l'allume-cigare (24 V) de l'avion ou sur un bloc d'accus séparé. On peut ainsi prendre plusieurs photos chaque fois que l'avion s'approche du site, tandis qu'avec les autres appareils, il faut se limiter à une seule prise parce qu'il est nécessaire de changer de porte-film après chaque photo (le porte-film Grafmatic contenant 6 feuilles est avantageux). Un moteur d'entraînement et un rouleau de pellicule long sont d'une grande utilité, même avec des appareils plus petits.

Quelle pellicule choisir?

Quand on choisit la pellicule, il ne faut pas perdre de vue l'utilisation qui sera faite de la photo. Avec les films négatifs, la latitude de pose est plus grande qu'avec les films inversibles (films à diapositives). Cette différence favorise l'utilisation de la pellicule négative.

Le TRI-X Pan ou le PLUS-X sont probablement les plus utilisés et les plus faciles à se procurer. Quand on se sert de filtres, le TRI-X est à conseiller à cause de sa sensibilité. Le PLUS-X est recommandé quand un fort contraste est nécessaire. On peut faire des copies en noir et blanc à partir de négatifs en couleurs, mais le voile atmosphérique est plus difficile à éliminer sur les films en couleurs. Par conséquent, quand on désire des photos en noir et blanc, il est préférable de se servir de la pellicule en noir et blanc.

Comme les photographes connaissent rarement toutes les utilisations possibles d'une photo, ils préfèrent employer des films en couleurs parce qu'ils ont de nombreux usages: épreuves noir et blanc, épreuves couleurs et diapositives de toute grandeur. De plus, on peut en corriger les couleurs au moment du tirage et ils ont une plus grande latitude de pose.

Les pellicules inversibles en couleurs donnent d'excellentes images si l'exposition est correcte. Mais ce sont aussi les pellicules les moins flexibles; l'exposition et les tons des couleurs doivent être exacts à la prise de vue. Après, il n'y a presque pas de correction possible. Pour plus de contraste, une copie diapositive ou un internégatif peuvent être faits à partir de l'original.

Les pellicules sensibles à l'infrarouge ne donnent pas une image réelle du sujet et elles ont des applications particulières. Je ne m'attarderai donc pas sur leur utilisation.

Le développement

À moins de développer soi-même ses films, l'exposition doit être faite en fonction d'un développement normal. Cependant, pour ma part, je préfère sur-exposer peu le noir et blanc et augmenter le temps de développement de 25 à 30%. J'ai fait de même avec les films en couleurs, mais dans ce cas, je vous recommande d'effectuer des tests d'exposition.

Les filtres

Pour le noir et blanc, je me sers toujours d'un filtre jaune (no 15 de Kodak ou l'équivalent). À haute altitude (1 500 mètres), ou à un niveau plus bas mais par temps brumeux, l'emploi d'un filtre rouge est à conseiller.

À une occasion, j'ai utilisé avec succès le filtre 85B pour remplacer le filtre jaune. Les filtres de gélatine doivent être de préférence placés derrière l'objectif. Autrement, le vent risque de les emporter.

Avec les pellicules en couleur et particulièrement les pellicules positives, on doit se servir d'un filtre absorbant l'ultraviolet. Le filtre le plus courant est le U.V. 1A. À haute altitude ou par temps de brouillard, on recommande le 2B.

Les objectifs

En général, j'utilise un objectif dit normal ou dont la distance focale est légèrement plus longue, par exemple: un objectif de 50 à 85 mm pour le 35 mm; de 80 à 120 mm pour le 6 X 6 cm; de 150 à 180 mm pour le 10 X 12 cm et de 210 à 240 mm pour le 12 X 16 cm.

J'ai quelquefois utilisé des objectifs à distance focale plus longue pour repérer un simple édifice placé à la même distance que la vue d'ensemble, mais je vous le recommande seulement avec des appareils de formats inférieurs à 6 X 7 cm et à une vitesse d'obturation d'au moins 1/500 de seconde. Les objectifs à courte distance focale donnent de meilleurs résultats et comme ils permettent à l'opérateur de se rapprocher du site, le brouillard est moins visible.

Préparation du vol

Quels sont les buts précis du travail? Voilà ce qu'il importe de savoir *avant* de monter dans l'avion. Voici la liste des questions qu'il faut poser et se poser.

— Pourquoi prend-on ces photos?

— Qu'est-ce qu'on veut montrer?

— À quel usage ces photos serviront-elles?

— Comment seront-elles présentées? En couleurs, en noir et blanc, sous forme de diapositives, de tirages 20 X 24 cm, de pièces murales, de reproductions, etc.

— Quel endroit doit-on survoler?

— Quelle superficie doit être "couverte"?

— De quel angle doit-on photographier?

— Quelle altitude est la plus avantageuse?

— À quel heure du jour l'éclairage convient-il le mieux?

— Le vol présente-t-il des dangers particuliers?

— Quelle est la date limite pour rendre le travail?

Une fois en possession des réponses à ces questions, vous pouvez décider du choix de votre équipement (appareils-photo, objectifs et pellicules). Vous serez également en mesure de déterminer s'il y a lieu d'attendre les conditions atmosphériques idéales ou s'il faut effectuer le travail tout de suite.

Avion ou hélicoptère?

Quand vous connaîtrez les objectifs de votre travail, vous saurez s'il vaut mieux avoir recours à un hélicoptère ou à un avion. Pour survoler les villes, un hélicoptère est presque indispensable, à cause de sa grande maniabilité et parce qu'il vole à basse altitude. De par la loi, les avions à voilure fixe ne peuvent descendre à moins de 300 mètres d'altitude au-dessus des villes et en dessous de 150 mètres en rase campagne. Les hélicoptères ne sont pas soumis à cette restriction. Il en coûte de 3 à 4 fois plus cher pour louer un hélicoptère, mais le temps à passer au-dessus du lieu à photographier est 4 fois moins long. J'ai recours à un avion à voilure fixe seulement quand il n'y a pas d'hélicoptère de disponible ou lorsqu'il faut couvrir une grande distance entre les endroits à photo-

graphier. Je choisis de préférence un appareil à ailes hautes et qui vole lentement, comme le Cessna 172. Avec les ailes hautes, la vue n'est pas obstruée et la faible vitesse réduit les difficultés occasionnées par les mouvements de l'appareil.

En général, j'enlève une des portes de l'avion si celui-ci n'a pas déjà été modifié spécialement pour la photographie aérienne. En hiver, il m'arrive de faire des clichés par une fenêtre ouverte. Il ne faut jamais photographier à travers une vitre. Un tournevis à lames interchangeables fait partie de mon équipement. Je m'en sers pour desserrer les charnières des fenêtres, que je place à 45°. En vol, le vent maintient la fenêtre ouverte à 90°. Quand on enlève une porte, il faut s'assurer que tous les objets qui se trouvent à l'intérieur de l'avion sont bien attachés.

Conditions atmosphériques

Cet élément est capital en photographie aérienne. De l'aéroport le plus proche, on peut obtenir le dernier bulletin météorologique. Le pilote devrait s'en occuper, car il a accès à des renseignements plus détaillés que le commun des mortels. Quand la vitesse du vent est de 20 à 25 km à l'heure et la visibilité de 20 km et plus, on peut parler de bonnes conditions atmosphériques. Pour des prises de vue portant sur une grande étendue de terrain, assurez-vous qu'il n'y a pas de nuages en formation, parce qu'ils projettent de l'ombre sur le sol. Quand le temps est moins beau, il faut prendre ses photos obliques de plus près, à basse altitude, pour atténuer au maximum l'effet du brouillard.

Communication avec le pilote

Durant le vol, il importe d'être en constante communication avec le pilote. À moins que l'avion ne dispose d'un interphone et de deux casques d'écoute, il faut inventer un langage visuel quelconque. Afin de réduire la durée du vol, il convient de transmettre au pilote, avant le décollage, le plus de renseignements possible. Pour ce qui est de la sécurité, on lui donne carte blanche. Il sait ce qui représente ou non un danger.

La photographie industrielle/André Germain

Le photographe commercial/Bob Fisher

Le travail que voilà...

En photographie aérienne, le temps de pose est relativement difficile à déterminer. À basse altitude, il est à peu près le même qu'au sol. En faisant une lecture au sol, on devrait donc obtenir de bons résultats. Pour ma part, j'ai l'habitude de prendre la moyenne de deux lectures effectuées l'une au sol et l'autre en vol.

Une méthode sûre consiste à faire un premier passage au-dessus de l'objectif pendant lequel on prend en "fourchette" diverses expositions (prises de vue). Il vaut mieux procéder de cette façon quand on fait des diapositives.

Si on utilise des filtres, il faut tenir compte de leur coefficient. Le filtre Wratten no 15 de Kodak a un coefficient de 2.5 (1 1/3 de cran). Le filtre rouge no 25 a un coefficient de 8 (3 crans). Les filtres anti-ultraviolet 1A et 2B dont on se sert pour la couleur ne demandent pas de correction d'ouverture du diaphragme.

À la vitesse de 1/500 de seconde, avec un film dont l'indice de sensibilité est de 100 ASA, le réglage de l'obturateur se fait entre f/5.6 et f/8. Il importe par conséquent que les objectifs que vous employez fonctionnent bien dans la région des petites ouvertures.

La prise de vue

Lorsqu'on s'approche du site à photographier, il faut trouver l'éclairage et l'angle qui donneront le meilleur relief possible à l'image. Le langage visuel établi avec le pilote devrait alors le diriger vers la position et l'altitude recherchées. On obtient de meilleurs résultats en diminuant la vitesse de vol, en virant légèrement sur l'aile et en faisant amorcer une glissade à l'avion. Mais cette méthode n'est pas sans danger, surtout à basse altitude. En mettant les moteurs au ralenti et en modifiant l'ouverture des volets de quelques degrés, on peut aussi diminuer suffisamment la vitesse pour faire de bonnes photos.

Pour éviter les vibrations, il ne faut pas appuyer le haut de son corps ni son appareil-photo sur aucune des parties de l'avion. En hélicoptère, le vol stationnaire est à déconseiller à cause des trépidations qu'il occasionne.

En conclusion

Ce que j'ai tenté de faire dans ce texte a été de détruire quelques-uns des mythes qui entourent la photographie aérienne. En même temps, j'ai voulu informer mes lecteurs de certains pièges du métier. Mais, même s'il est bon d'acquérir toutes les connaissances théoriques possibles, en fin de compte, on ne peut apprendre à nager sans se jeter à l'eau. Donc, allez-y... et bon plongeon!

Photos aériennes en oblique prises en hélicoptère à haute altitude. Elles représentent le campus de l'Université McGill, à Montréal.

Notez la dominance du bleu et l'ombre projetée par les nuages. J'ai tenté auparavant de faire cette photo avec un avion classique, parce qu'il n'y avait pas d'hélicoptère disponible. Je n'ai pas obtenu de très bons résultats, à cause du brouillard qui était très gênant à l'altitude à laquelle j'aurais voulu prendre la photo. Je l'ai fait quand même, à une altitude un peu plus basse, mais il a fallu presque une demi-heure de va-et-vient pour mettre l'avion à la position voulue. En plus, le voyage entre l'aéroport de Saint-Hubert et la ville de Montréal a pris une heure, et j'ai passé une autre heure en vol. J'ai décidé de recommencer le travail en me servant d'un hélicoptère. Je suis monté dans l'appareil dans un terrain de stationnement proche du centre de la ville et, en 15 minutes, la photo était prise. Le prix de location de l'hélicoptère était le même que celui de l'avion, mais j'ai pu grâce à lui gagner beaucoup de temps.

La photographie médicale

par Pierre Kirouac

De toutes les spécialités de la photographie, la plus méconnue est peut-être la photographie médicale. Les patients l'associent souvent à la radiologie et il n'est pas rare que nous ayons à préciser le sens de notre travail. La photographie médicale est utilisée par ceux qui oeuvrent dans les domaines de l'enseignement et de la recherche en médecine, ou qui participent à des publications scientifiques. De plus, la photographie clinique est à la disposition de différentes spécialités médicales comme la chirurgie plastique, l'ophtalmologie, la dermatologie, etc. Ce métier demeure un peu mystérieux, même à l'intérieur du milieu hospitalier. Les médecins, cependant, connaissent bien son utilité. Ils sont conscients de l'impact que l'image produit sur une assistance lors d'un congrès, par exemple, et ils apprécient les services que la photo leur rend lorsqu'il s'agit d'étudier un dossier ou d'expliquer à des étudiants l'évolution d'une maladie spécifique.

La photographie médicale sert également le grand public par l'intermédiaire des services de santé. En effet, ceux-ci ont de plus en plus recours à la collaboration des photographes médicaux pour la préparation de leurs programmes de médecine préventive. Mentionnons entre autres les programmes d'information prénatale et la publicité anti-tabac, présentés dans les centres commerciaux, les écoles ou d'autres endroits publics.

Dans ce métier, c'est la qualité de l'image qui prime. À ce propos, je pense que le travail des photographes médicaux est l'un de ceux que l'on apprécie le plus aujourd'hui. C'est du moins ce qui ressort, à notre avis, des réactions qui nous sont manifestées à la suite des diverses présentations audio-scripto-visuelles qui sont effectuées lors des congrès internationaux. Notre rôle professionnel y est peut-être pour quelque chose. Nous profitons en effet des techniques très avancées que la recherche médicale met au point et fait rapidement circuler tandis que la précision que doit avoir notre travail nous oblige à nous préoccuper constamment de la qualité de nos photos.

Une motivation profonde...

Le goût pour ce métier m'est venu très jeune: à la fin de mes études secondaires, j'aspirais déjà à devenir photographe médical. Je me suis ensuite inscrit à l'École de photographie des Trois-Rivières, où j'ai passé deux ans. Mon entrée proprement dite dans le métier s'est faite assez curieusement. Un de mes professeurs, monsieur Lavoie, qui a formé un bon nombre de photographes au Québec, m'a demandé un jour de lui servir d'assistant pour un travail de photographie de mariage. Lorsqu'il s'est informé de mes intentions pour l'avenir, je lui ai fait part de mon intérêt pour la photographie médicale. Le hasard faisant bien les choses, il m'apprit qu'il venait justement de recevoir une demande d'un ancien élève en poste à l'hôpital Saint-Michel-Archange de Québec. Intéressé, je me suis donc rendu à Québec, où j'ai passé quelques jours. Comme le travail me plaisait, tout de suite à la fin de mes études, je suis entré dans le milieu et j'y suis resté depuis. Plus tard, j'ai suivi des cours de nursing et de pédagogie audio-visuelle. Depuis 1970, je suis responsable du service de l'audio-visuel à l'hôpital Maisonneuve-Rosemont de Montréal.

Évolution de la photographie médicale

Dès que la médecine a cessé d'être régie par des pratiques empiriques et que des méthodes scientifiques de thérapie ont pu être appliquées, le besoin d'illustrer certains phénomènes pathologiques s'est fait sentir. Après la découverte de la photographie, on a su mettre cette technique à profit pour l'avancement de la recherche médicale. Au début, les médecins s'occupaient eux-mêmes de prendre les photographies; certains le font encore quelquefois. Mais, avec le temps, la demande dans ce domaine s'est accrue et les moyens techniques ont évolué. Les services d'un photographe médical spécialisé sont ainsi devenus nécessaires.

Les chercheurs étant à l'affût de tous les avantages qu'ils pourraient tirer des nouvelles techniques, ils ont vite compris l'intérêt du vidéo et du cinéma qui sont maintenant de plus en plus utilisés. Le photographe médi-

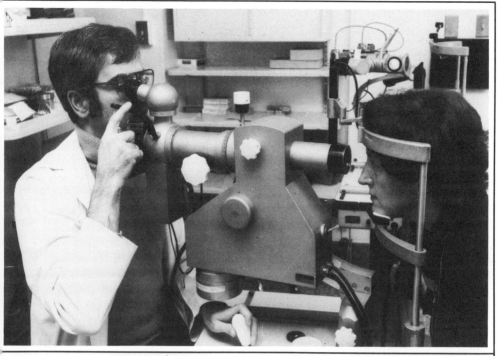

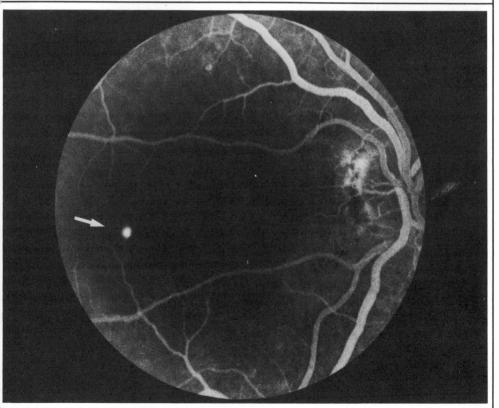

cal doit souvent travailler en équipe pour préparer certains documents. En suivant les progrès de la science médicale et l'évolution vers la spécialisation, le photographe médical est également appelé à concentrer ses activités dans des secteurs particuliers: la photographie oculaire, la microphotographie, la photographie cardiologique, etc.

Le quotidien du photographe médical

Le photographe médical travaille principalement avec les médecins, mais il lui arrive d'être en rapport avec des techniciens de laboratoire, des diététiciens, des techniciens de recherche, etc. Dans les hôpitaux, les sections d'audio-visuel assurent un service de production, mais constituent également des centres de référence pour la préparation des cours présentés aux étudiants en médecine (résidents ou internes) ou pour les "présentations de médecine" faites par les médecins des différents départements de l'hôpital.

Mais nos activités ne s'arrêtent pas là. Nous devons répondre aux appels urgents de la salle d'opération, où il faut se conformer aux conditions particulières des lieux: revêtir un costume aseptique, respecter le champ opératoire, travailler rapidement sans savoir à l'avance la dimension des objets à photographier et se rappeler que la prise de vue ne peut être recommencée. Nous nous occupons également, en collaboration avec le médecin, l'illustrateur et le graphiste, de la préparation photographique d'articles destinés à des publications scientifiques. Il nous faut aussi réaliser des copies de revues et de livres, et des photographies d'instruments médicaux. Les photographes médicaux répondent aux appels de la salle d'autopsie, s'occupent de la composition de diaporamas. Au centre Maisonneuve-Rosemont, le photographe médical travaille également en chambre noire. Les films en noir et blanc sont développés dans nos locaux; des laboratoires de l'extérieur se chargent des films en couleurs.

En ce qui a trait aux techniques en soi, la macrophotographie est la plus utilisée, puisqu'elle fournit une image grossie de petits objets. Quant à la microphotographie, son usage est très limité. Il s'agit d'une spécialité à part, pratiquée seulement par quelques photographes scientifiques.

La photographie oculaire

La plupart des centres hospitaliers ont toujours un champ d'activité qui prédomine sur les autres. Au centre Maisonneuve-Rosemont, il s'agit de l'ophtalmologie. Et c'est justement un domaine dans lequel la photographie peut rendre des services particulièrement importants.

Depuis 1961, année où deux chercheurs américains ont mis au point une technique appelée l'angiographie à la fluorescéine, la photographie oculaire s'est développée de façon phénoménale. Cette technique facilite la détection d'anomalies de la circulation. Grâce à la fluorescéine, que l'on injecte dans le système sanguin, et en utilisant des filtres interférentiels, le photographe peut fournir à l'ophtalmologiste, des images qui lui permettent d'établir son diagnostic et, éventuellement, de prescrire les traitements requis.

La photographie stéréoscopique est une autre technique employée en photographie oculaire. Elle est en quelque sorte l'adaptation d'une méthode que nos grands-parents utilisaient quand ils regardaient leurs photos avec des lunettes spéciales qui leur permettaient de voir les images en trois dimensions. Ce procédé est encore utilisé sur une faible échelle au niveau industriel; on le retrouve, par exemple, dans le dispositif "View Master" destiné aux enfants. Mais pour l'ophtalmologiste, la photographie stéréoscopique est un instrument de travail sérieux et très appréciable puisqu'elle lui donne du fond de l'oeil une représentation plus semblable à la réalité et qu'elle facilite le diagnostic des malades. Une grande partie des appareils servant à la photographie oculaire sont maintenant conçus pour qu'on puisse utiliser l'équipement stéréoscopique.

Rapports avec les médecins

Il est essentiel que la collaboration entre un médecin et un photographe médical se fasse dans un climat de confiance mutuelle. Le médecin doit être assuré de trouver dans les connaissances techniques du photographe médical un appui efficace et discret. Pour faciliter le travail, il est évidemment très utile que ce dernier ait quelques notions de médecine. C'est bien sûr à la demande du médecin que nous intervenons auprès du malade, à son chevet, en consultation ou à la salle d'opération.

Rapports avec les patients

Les patients nous accueillent assez bien en général. Certains confondent parfois notre travail avec celui du technicien en radiologie. Ignorant souvent que l'hôpital dans lequel ils se trouvent est un lieu d'enseignement affilié à une université, ils se montrent sceptiques quand nous leur disons que nous faisons de la photographie médicale et ils ne voient pas toujours l'intérêt de cette spécialité. D'autres se méprennent sur nos activités et ils pensent qu'on va leur donner un traitement nouveau. Certains, enfin, expliquent notre présence par le fait que leur maladie a quelque chose d'unique, ce qui est rarement le cas. Quelle que soit la réaction du patient, nous ne prenons évidemment aucune photographie sans son autorisation.

Équipement

Notre outil le plus commode, c'est l'appareil de format 35 mm. Je pense même que les photographes médicaux ont été les premiers à y avoir recours. On utilise aussi les autres formats, le 10 X 12 cm pour certains travaux et même le 20 X 25 cm. Le flash annulaire, appelé ainsi parce que l'élément émetteur de lumière a la forme d'un anneau, est un dispositif efficace pour des prises de vue d'objets qui ont une profondeur, comme la cavité buccale et les cavités opératoires.

On emploie toutes les sortes de pellicules. Quelques-unes ne sont pas courantes dans la photographie ordinaire. Mentionnons les pellicules sensibles à l'infrarouge et les films présolarisés, qui donnent une image positive sans passer par le procédé de renversement. C'est très rapide et très usité. Les filtres interférentiels, dont je vous ai parlé plus tôt, servent pour la photographie oculaire.

Formation

Dans le domaine de la photographie médicale, je crois que le seul cours qui existe se donne au Rochester Institute of Technology aux États-Unis et les frais de scolarité sont très élevés.

En ce moment, on exige d'un photographe médical un diplôme d'études collégiales en photographie générale et l'hôpital se charge de parfaire sa formation une fois que le sujet est en poste. La formation varie d'un centre à l'autre, suivant la vocation de l'institution. Les connaissances médicales ne sont pas nécessaires, mais elles pourraient représenter un atout. Côté rémunération, nos salaires équivalent à ceux des autres techniciens d'hôpitaux (techniciens en radiologie, en laboratoire, etc.).

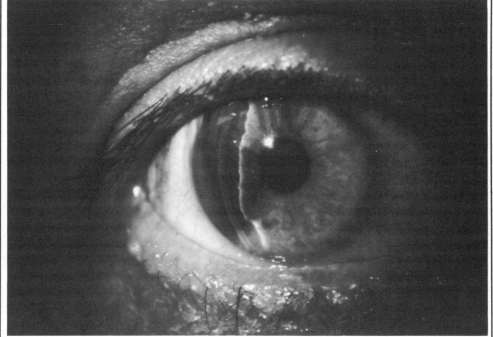

Les difficultés rencontrées par les nouveaux venus sont davantage liées à leur personnalité qu'à leurs connaissances techniques. En effet, il faut savoir s'adapter à ce milieu bien particulier et se faire accepter par lui. De plus, le photographe médical doit concilier rendement professionnel et qualité technique; les moments d'incertitude et de tension existent là comme ailleurs!

Conclusion

En rendant possible l'enregistrement sur images de phénomènes pathologiques qui peuvent être analysés et publiés dans le monde entier, la photographie médicale joue un rôle dans l'évolution scientifique de la médecine. Elle la sert quotidiennement dans plusieurs de ses spécialités et contribue à améliorer la qualité de la formation que reçoivent les jeunes médecins. Le métier de photographe médical ne peut manquer de passionner tous ceux qui s'intéressent aux questions scientifiques et médicales tout en ayant du goût pour le travail d'équipe, l'imprévu... et la photographie.

Le photographe de centre audio-visuel
par Jean Garneau

Réalisateur, preneur de son, graphiste, autant de mots qui, encore aujourd'hui, me rappellent un monde merveilleux où tout était à faire, puisque nous étions au début de l'aventure. Je pense que nous avions tous un immense désir d'apprendre et un profond souci de la qualité. À ce moment-là, la forme visuelle des documents nous attirait bien plus que leur contenu pédagogique. L'équipement nous fascinait et augmentait encore notre enthousiasme.

Ce recul dans le passé me rappelle mes projets d'étudier le cinéma à Paris et mes débuts dans cette profession. À l'époque dont je parle, les écoles de photographie n'existaient pas au Québec. La façon la plus efficace d'apprendre son métier était de travailler dans un laboratoire ou un studio de photographie reconnus. J'ai eu cette chance lorsqu'on m'a offert le poste d'assistant-photographe dans un des meilleurs laboratoires de photographie médicale du monde, celui de l'Institut neurologique de Montréal. En cumulant plusieurs fonctions, j'y ai acquis une expérience qui allait me servir par la suite dans un domaine qui ne m'était pourtant pas familier. Plus tard, en effet, j'ai été engagé par la Cité de la santé de Laval, au Québec, pour participer à l'organisation d'un centre audio-scripto-visuel.

Historique des techniques audio-visuelles

Mais avant de préciser le rôle de la photographie dans ce domaine, il serait peut-être intéressant de faire un bref historique de l'utilisation des techniques de l'audio-visuel comme moyen d'apprentissage.

Au Québec, les centres audio-visuels à caractère didactique existent depuis environ une douzaine d'années. Les Américains ont été les pionniers dans ce domaine, avec l'apport de spécialistes de la formation et du comportement, tels Thorndike, Skinner et bien d'autres encore.

Le recours aux méthodes audio-visuelles comme technique d'enseignement a suivi le développement considérable qu'a connu la recherche dans divers domaines, comme la psychologie du comportement, l'anthropologie, la linguistique et bien d'autres. Cependant, alors qu'on a commencé à reconnaître la valeur et les possibilités de ces méthodes, on n'avait pas encore pu développer un équipement convenable, capable de satisfaire les objectifs des pédagogues. Le cinéma muet offrait pourtant déjà quelques possibilités. Plus tard, le cinéma parlant accentua le potentiel de ce médium.

Pendant un certain temps, on utilisa à des fins académiques les films produits par l'industrie cinématographique. La première expérience dans ce domaine remonte à 1910. Par la suite, on différencia le film éducatif du film conçu pour les salles de cinéma. À partir de ce moment, les écoles, les collèges et les universités devinrent de nouveaux marchés pour la vente d'équipement de projection. De 1900 à 1950, un grand nombre de manufacturiers s'engagèrent dans la production d'un matériel plus adapté aux besoins de l'enseignement. Les appareils 16 mm et super 8 semi-professionnels furent mis à la disposition des éducateurs.

La télévision fit ensuite son apparition. La diffusion en direct présentait des avantages. Cependant, l'équipement était dans ce cas beaucoup trop complexe et dispendieux pour qu'on songe à l'utiliser dans le milieu de l'enseignement. Il fallut attendre la venue d'équipements portatifs de tournage et de montage électronique pour que le pédagogue puisse trouver enfin un outil de formation qui soit à la mesure de ses besoins.

La photographie, de son côté, avait depuis longtemps acquis ses lettres de noblesse et le graphisme était reconnu parmi les arts visuels. Tous les éléments essentiels étaient rassemblés pour fournir au milieu de l'enseignement un instrument didactique efficace: le matériel audio-visuel. D'un point de vue plus vaste, les progrès de la recherche avaient permis de mettre au point des outils de communication accessibles à tous; la photographie en est le meilleur exemple. Qui aujourd'hui, n'a pas son appareil photo? Il ne restait donc plus qu'à réunir divers spécialistes du langage et des média et leur permettre de travailler ensemble dans ce qu'on appelle aujourd'hui un centre audio-visuel.

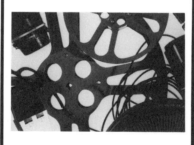

La photographie au service de l'audio-visuel

Mais revenons plus précisément au sujet qui nous intéresse. Quel est le rôle du photographe dans le monde de l'audio-visuel? Là comme ailleurs, l'image garde toute sa valeur: elle vaut mille mots. Ce qui diffère, dans ce milieu, c'est le fait que le photographe est un homme d'équipe et non pas un travailleur solitaire comme on a l'habitude de le considérer, du moins dans les activités les plus connues de son métier. Dans un centre audio-visuel, cette caractéristique n'existe plus.

Intégré dans une équipe de conceptualisation, il n'est plus le seul à pouvoir parler d'images avec assurance. D'autre part, le produit de son travail s'adresse à une clientèle bien définie. Il ne paraîtra pas dans les journaux du soir ou les publications hebdomadaires. Cependant, le photographe, en collaborant à la production de films d'enseignement, de diaporamas sonorisés ou de documents scripto-visuels, participe à la réalisation d'objectifs pédagogiques. L'équipe qui gravite autour de lui, réalisateurs et graphistes, ont chacun leurs exigences. Il se peut qu'il ait à adapter sa formation traditionnelle aux besoins de son milieu de travail. Malgré ces difficultés, le contact journalier avec d'autres artisans de l'image ne peut que lui être profitable.

Cet encadrement laisse peu de place à la liberté qu'il aurait peut-être eue dans d'autres sphères de la photographie. Il doit donc faire preuve de souplesse, tout en utilisant au mieux sa compétence. La curiosité et le désir d'apprendre lui sont nécessaires pour être capable de découvrir de nouvelles avenues et de faire participer les autres à ses découvertes. Il doit aussi être un créateur et un raconteur. Ses images doivent être originales et éloquentes. Il lui faut apprendre à travailler à partir de concepts et à créer des images qui, une fois rassemblées, permettront la réalisation d'un document clair et précis. Il aura la chance, travaillant la plupart du temps dans des institutions d'enseignement, d'acquérir des connaissances dans plusieurs domaines et de suivre des cours universitaires dans le secteur plus particulier de la communication. Le milieu même de son travail et l'intensité de ses relations professionnelles avec les autres membres de l'équipe lui permettront de mieux se réaliser.

Il y a un autre aspect du métier que je considère particulièrement important: le photographe doit être polyvalent. En effet, il est considéré, dans ce milieu, comme le personnage tout désigné pour servir à l'occasion de caméraman de télévision ou d'éclairagiste, par exemple. Souvent, cette exigence fait peur. Pourtant, elle doit être considérée comme un avantage, puisqu'elle ouvre la porte à des expériences nouvelles et enrichissantes.

On sait qu'au cinéma, beaucoup de caméramans et de directeurs de photo ont commencé leur carrière en tant que photographes. Ce métier permettra peut-être à quelques-uns de nos confrères de se découvrir l'âme d'un nouveau Michel Breault ou d'un Gilles Carle. C'est une autre des possibilités que permet l'exercice de sa profession dans le monde de l'audio-visuel.

Ayant à travailler à la réalisation de documents fort différents, le photographe doit maîtriser les techniques du métier et se tenir au courant de tous les progrès réalisés dans le domaine de la photographie. Il lui faut connaître toutes les pratiques de la profession et c'est peut-être là son côté frustrant. En effet, combien de photographes peuvent se vanter d'être à la fois d'excellents portraitistes, de grands photographes commerciaux et des photojournalistes hors pair?

Cependant, s'il ne craint pas le travail, il pourra acquérir une expérience qui lui vaudra une solide réputation parmi les professionnels de la photo, quel que soit le milieu dans lequel il se présentera.

Au Québec, depuis quelques années, plusieurs collèges d'enseignement offrent différents cours de photographie. Les cégeps (collèges d'enseignement général et professionnel) ont bien compris leur rôle, c'est pourquoi l'enseignement est orienté en fonction de la formation technique et artistique du futur photographe. Celui-ci peut choisir, parmi les cours qui lui sont proposés, ceux qui lui conviennent le mieux. Parallèlement, il pourrait lui être utile, selon l'orientation de sa carrière, d'entreprendre des études dans des domaines connexes, tel le graphisme, les arts plastiques, le langage photographique et la communication.

Je voudrais souligner ici que je ne considère pas que la formation technique est moins importante. Je crois au contraire que c'est grâce à l'ensemble de sa formation technique, artistique et du langage, que notre futur photographe deviendra véritablement un professionnel du métier.

Outre la formation, il y a un autre facteur déterminant dans la réussite d'une carrière: le travail. Tous les photographes reconnus maintenant avaient la réputation d'être des bourreaux de travail. Il faudra se rappeler que dans ce domaine comme dans bien d'autres, les débouchés sont rares. Cependant, en y mettant l'énergie nécessaire, il y aura toujours un poste ouvert pour celui ou celle qui veut réussir.

Une semaine de travail
dans un centre audio-visuel

Pour vous mettre dans l'atmosphère, imaginons un instant ce que pourrait être votre première semaine de travail dans un centre audio-visuel. Par chance, vous avez une bonne formation académique, quelques années d'expérience et vous êtes bien décidé à travailler dur et à réussir. Après quelques jours d'acclimatation, on vous confie votre premier travail. La fabrication d'un diaporama est en cours et vous êtes chargé de la photographie. Le réalisateur a terminé son découpage; il sait ce dont il a besoin. Dans ce cas, votre responsabilité est de lui donner des images de la meilleure qualité. Il connaît ce qu'est une bonne image. Vous devez donc apporter le plus grand soin à votre travail. L'éclairage devra être approprié et donner à l'objet son sens, sa texture et son volume propres. Le travail consiste à photographier des pièces de verre, ce qui n'est pas l'enfance de l'art. C'est votre première expérience du genre; il serait donc préférable que vous vous documentiez sur le sujet et que vous procédiez à quelques expériences.

Cette première journée a été remplie de surprises. Le lendemain, vous devez traiter les pellicules en couleurs et en noir et blanc, et faire en sorte que le travail réalisé en studio ne soit pas ruiné par une négligence de votre part en chambre noire. Le contrôle de la qualité présuppose que vous possédez certaines connaissances en chimie et en sensitométrie et surtout que vous avez acquis une méthodologie de travail adéquate.

La formation technique que vous avez reçue au Cégep vous sert bien. Vous constatez également que l'expérimentation et la recherche de documentation auxquelles vous vous êtes livré ont porté des fruits. Votre travail est bon. Bien sûr, la prochaine fois, vous améliorerez certains détails, mais pour une première, c'est très acceptable. Le visionnement avec le réalisateur se passe bien; il est lui aussi très satisfait de la qualité photographique des images. La troisième journée, on vous demande de reproduire une série de diapositives. Hélas! l'appareil de reproduction n'est pas calibré. Vous fouillez dans vos souvenirs, vous ouvrez un livre spécialisé et vous vous mettez au travail. Une autre journée s'achève.

Vous rentrez au travail ce matin; l'appareil automatique pour le développement du papier photographique semble défectueux. Selon vous, le problème est d'ordre mécanique. Après maintes recherches, vous vous rendez compte que ce n'est pas l'appareil qui est en cause, mais bien vous: un mauvais mélange dans les solutions est à la source de vos ennuis. Dans votre négligence, vous avez omis d'ajouter un important produit chimique. Enfin! vous avez trouvé.

Ouf! la dernière journée de la semaine. Une émission de télévision se prépare et on vous demande de faire l'éclairage. Votre expérience de l'éclairage artificiel est très sommaire. Vous ne comprenez pas les impératifs du découpage du réalisateur. Toutefois, vous y mettez tout votre coeur

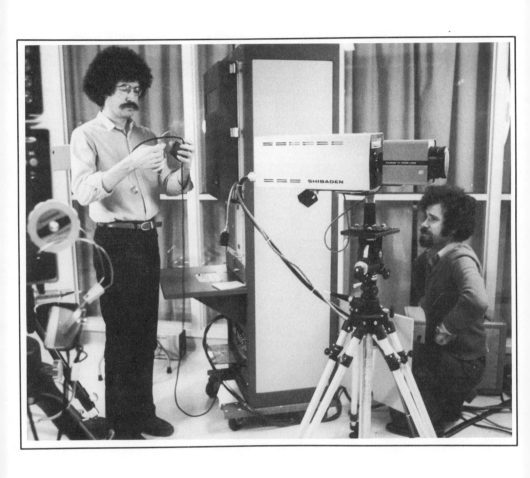

et vous tentez votre chance. Une fois le travail et l'avant-midi terminés, vous êtes enthousiasmé par l'intérêt que ce travail a suscité en vous et vous vous promettez de lire autant de livres traitant du sujet que vous pourrez en trouver. Comble de malchance, ils sont tous en anglais!

Vous croyez que votre dernière journée touche à sa fin. Mais non! Le directeur doit remettre une photographie de sa petite personne à un magazine important. On fait donc appel à vos généreux services; vous voilà donc devenu portraitiste. Et que dire des graphistes qui voudraient bien travailler avec vous pour convertir en bas-reliefs des images à tons continus? Ils ont besoin de ce matériel pour une revue qui doit aller sous presse dans peu de temps. Ce bref aperçu n'a rien de fictif, au contraire, il est assez conforme à la réalité.

Conclusion

Ce métier présente ses difficultés, mais il demeure extraordinaire et riche en expériences de toutes sortes. Une formation technique pertinente et une connaissance approfondie du langage et des moyens esthétiques dont dispose la photographie sont nécessaires pour réussir dans cette spécialité.

Je crois utile de souligner ici que la photographie, à l'encontre de plusieurs autres métiers, demeure un domaine où la déshumanisation du travail n'a pas encore réussi à s'installer. Ainsi, le photographe, tout comme l'artisan, peut encore considérer son métier comme un art.

Pour cette raison et bien d'autres encore, je souhaite à ceux qui choisiront cette voie de connaître la satisfaction et le plaisir que j'ai moi-même éprouvés à exercer mon métier.

Le réparateur
d'appareils photographiques
par Gilbert Blais

L'image est sans doute l'un des secteurs à l'intérieur desquels la technologie moderne a le plus magistralement exercé ses talents. Du petit appareil photographique élémentaire à la télévision en couleurs à écran géant, il existe une gamme infinie et très diversifiée d'outils qui servent à créer, conserver et transmettre des images.

L'une des plus formidables réussites de notre siècle est d'avoir permis au profane de connaître le plaisir de fixer des images à son gré, en mettant au point cet instrument merveilleux qu'est l'appareil photographique. C'est le compagnon que l'on apporte partout avec soi, celui à qui on confie la tâche d'enregistrer des souvenirs d'événements importants ou simplement agréables de notre existence.

Pour certains professionnels, il est devenu un outil de travail indispensable, que ce soit pour informer la population par des reportages enrichis d'images prises sur le vif, pour aider à l'avancement de la science dans les travaux de recherche, pour faire de la publicité ou pour divertir le public par le cinéma et les magazines.

On oublie toutefois que l'appareil photographique, même s'il est aujourd'hui objet d'utilité courante, doit être suivi de près par un spécialiste pour rester en bon état de fonctionnement. Malgré sa robustesse, il peut, au cours de son existence, être sujet à plusieurs visites chez un technicien spécialisé dans l'entretien et la réparation de l'équipement photographique.

Le "micro-mécanicien" ou le réparateur d'appareils photographiques

On n'a pas encore identifié précisément la profession qui consiste à vérifier, réparer, ajuster ou reconstituer les pièces défectueuses d'un appareil photographique. D'autant plus que sa tâche ne se limite pas à cela. Il doit en effet conseiller fréquemment ses clients sur l'achat, les capacités et l'endurance d'un appareil-photo et aussi sur la façon de le manier pour en tirer le maximum de profit. Il s'agit, sans aucun doute, d'un spécialiste dont on ne saurait se passer dans un domaine aussi complexe et précis que celui de l'image. Mais pour devenir micro-mécanicien, il faut acquérir une formation de base adéquate.

Formation de base

Le réparateur d'équipement de photo doit avant tout être un mordu de l'audio-visuel et avoir une expérience pertinente et diversifiée dans le domaine de la photographie. Il lui faut aussi connaître toute la gamme des appareils qui sont sur le marché et se tenir au courant des nouvelles découvertes qui simplifient de plus en plus leur utilisation. Il doit être en mesure de faire une projection de ce que sera la durée possible et le rendement d'un appareil en fonction des besoins de son utilisateur.

De nos jours, la miniaturisation ajoute de nouveaux types d'appareils qui sont de plus en plus compliqués à réparer car leur fonctionnement fait souvent appel à l'électronique.

Le réparateur doit suivre l'évolution de l'équipement moderne, tout en maintenant ses connaissances des appareils qui existent depuis quelques années et qui sont encore des instruments précieux pour leurs propriétaires.

L'énoncé de ces exigences suffit à expliquer pourquoi le micro-mécanicien est obligé de se spécialiser dans quelques secteurs déterminés. Le monde de la photographie est devenu trop vaste et trop complexe pour qu'une seule personne réussisse à le connaître parfaitement. Le micro-mécanicien doit donc s'adjoindre d'autres spécialistes pour travailler avec lui. Malgré cela, il lui faut considérer que son apprentissage n'est jamais terminé.

Sur le plan personnel, le réparateur d'appareil-photo doit posséder une excellente vision, un esprit "mécanicien", des doigts de fée et une patience d'ange. Pour exercer ce métier, il lui faut avoir suivi un cours de base en électronique, un cours théorique et pratique d'usinage de pièces et posséder une expérience générale de la photographie.

Les ateliers de réparation d'appareils photographiques

Comme vous le devinez, l'organisation de la plupart des ateliers de réparation d'équipements photographiques est sensiblement toujours la même. En vous décrivant celui dans lequel je travaille, je vous donnerai donc une bonne idée de ce qui se passe dans les autres établissements de ce genre.

Nous effectuons chez nous la réparation des appareils 35 mm, des Instamatic, des "Instantanés" (Polaroïd), des ciné-caméras, des projecteurs de films, des projecteurs à diapositives, des flashes électroniques, des trépieds, des équipements de chambres noires et de tous les gros appareils utilisés par les professionnels.

Quand un appareil arrive à l'atelier, il est remis au réparateur d'appareil-photo spécialisé dans ce type particulier. Le technicien effectue un examen général et ensuite, après avoir identifié les problèmes, il évalue le coût de la réparation. Il soumet son prix au client en lui donnant toutes les explications pertinentes. Il appartient alors au propriétaire de l'appareil de décider si les travaux requis seront ou non effectués. Pour la protection des clients, toutes nos réparations portent une garantie écrite valable pour une durée minimum de trois mois.

La réparation des appareils photographiques a quelques points communs avec la mécanique automobile, surtout du côté des pièces car, comme dans le cas des autos, leurs composantes ne sont pas interchangeables d'une marque à une autre. Pour assurer un service rapide, nous avons donc en entrepôt un très grand nombre de pièces correspondant à toutes les marques de matériel que nous réparons. Afin de parer aux problèmes exceptionnels, nous entretenons des contacts avec tous les fabricants d'équipement qui existent à travers le monde.

Pour avoir une idée de la complexité du mécanisme d'un appareil photographique, regardez la photo d'un Asahi Pentax Spotmatic. Considérant que chacune de ces pièces est susceptible de s'user ou de se briser, vous comprendrez pourquoi il faut parfois un peu de temps à l'atelier de réparation pour remettre votre appareil en état!

L'équipement de réparation

Outre un système d'éclairage efficace, la réparation de l'équipement photographique requiert un outillage précis comprenant des pincettes très fines, des tournevis de toutes dimensions, des pinces, des limes, des crochets, des marteaux, des fers à souder, etc. Ajoutons à cela des produits chimiques pour le nettoyage des pièces et des lentilles. Par ailleurs, le réparateur d'appareil-photo doit souvent fabriquer lui-même un outil spécialement adapté à l'appareil qu'il a en réparation. Il utilise aussi des instruments particuliers, dont la description vous intéressera peut-être.

Pour ajuster les posemètres, nous nous servons d'une boîte de lumière à intensités variables pré-ajustées. Par exemple, à pleine intensité de lumière, un posemètre à main ou incorporé à un appareil et réglé à 100 ASA, doit nous donner comme lecture, pour une vitesse d'obturateur de 1/125 de seconde, une ouverture de f/16. Si la différence est supérieure à 1/4 de cran, il faut régler l'appareil.

Nous utilisons aussi le collimètre. Il en existe deux sortes. Le premier type sert à ajuster les télémètres. L'autre sert à vérifier le foyer des objectifs. Le collimètre est composé d'un ensemble de lentilles convexes et concaves qui sont placées de façon à représenter un objet éloigné d'une distance d'environ trois kilomètres (ou infinie) pour tous genres d'objectifs.

L'appareil le plus dispendieux et le plus complexe que nous employons est le vérificateur d'obturateur. Cet appareil sert à vérifier les vitesses d'obturation à toutes les rapidités possibles, qu'il s'agisse d'obturateurs mécaniques ou électroniques. Il permet aussi de contrôler la vitesse des rideaux, afin que la pellicule soit exposée uniformément de gauche à droite et de haut en bas. Il s'utilise aussi pour vérifier le fonctionnement des diaphragmes des objectifs, grâce à une fibre optique qui mesure exactement la quantité de lumière passant à travers les lentilles. En fait, cette petite merveille inspecte l'appareil-photo au complet. On irait jusqu'à souhaiter qu'elle puisse les réparer! Rien n'est parfait, comme de raison.

Conseils pratiques pour
l'utilisation de votre appareil-photo

Les ateliers de réparation d'appareils-photo ont beaucoup de travail. Ils en ont même un peu trop! D'autant plus qu'une partie des problèmes qu'il nous faut régler pourraient être évités si les photographes connaissaient un peu mieux leur appareil. Je vais maintenant vous donner quelques trucs qui vous aideront à tirer le maximum de l'utilisation de votre appareil et qui vous permettront de déceler des troubles éventuels. Si cela se produisait, n'hésitez pas à vous rendre chez votre micro-mécanicien... si possible *avant* d'avoir essayé d'effectuer vous-même une réparation qui dépasse vos connaissances et votre habileté!

Les appareils à foyer fixe

Ces petits appareils dont le plus connu est peut-être l'Instamatic, sont généralement très simples d'opération et sont utilisés par un grand nombre d'amateurs de photo. Peu encombrants, ils donnent des résultats surprenants.

Difficultés:	Causes:
Photos floues:	a) distance appareil-sujet trop courte
	b) objectif mal ajusté
Photos noires prises au flash:	a) flash défectueux
	b) mauvaise synchronisation
Photos superposées:	mécanisme d'avance du film défectueux
Photos sur-exposées:	obturateur défectueux
Photos sous-exposées:	obturateur défectueux

Conseils d'utilisation

Ne jamais forcer les mécanismes d'avance du film ou de déclenchement. Ne jamais essuyer ou nettoyer les lentilles avec un linge sec. Il faut au moins les humecter de buée, en soufflant dessus. De préférence, employer un produit de nettoyage spécial.

En achetant des piles neuves, toujours les faire vérifier avant de les installer dans l'appareil.

Ne jamais huiler un mécanisme d'appareil photographique. Cette erreur peut faire augmenter notablement le prix de la réparation car l'huile risque d'endommager gravement certaines pièces de l'appareil.

Les appareils 35 mm

L'appareil 35 mm de type reflex est assurément le plus populaire de tous. Il est généralement compact, léger et assez solide. L'utilisateur pourra se réjouir de ses prises de vues tant et aussi longtemps qu'il n'aura pas besoin d'agrandir ses photos. Les agrandissements de négatifs 35 mm de dimensions supérieures à 27 cm X 35 manquent en effet de précision. Mais il s'agit vraiment là de son seul désavantage. Tout récemment, certains manufacturiers ont mis sur le marché des appareils très automatisés tels le "Canon AEI", le "Nikon FE", le "Pentax KM" et le "Practica EE2". Bien d'autres viendront sous peu.

Difficultés	**Causes**
Photos floues:	Mécanisme de mise au foyer désajusté
Photos prises au flash trop sombres:	Mauvaise synchronisation du flash
Photos sous-exposées ou sur-exposées:	a) Posemètre déréglé b) Vitesse d'obturation désajustée c) Diaphragme défectueux
Photos plus sombres ou plus claires dans une partie de l'image:	Mauvaise vitesse des rideaux

Conseils

Utilisez toujours la ou les piles recommandées par le fabricant de votre posemètre. Une simple différence de 0,5 volt peut vous faire rater des photos.

Ne jamais essuyer le miroir de l'appareil: vous risqueriez ainsi d'en rayer la surface qui est très fragile. De plus, les poussières qui s'y déposent peuvent paraître sur les photos. Il vaut mieux les laisser là où elles sont jusqu'à ce qu'un technicien compétent puisse s'en occuper. Les manufacturiers suggèrent d'ailleurs qu'un nettoyage général et une vérification complète soient effectués à tous les trois ans par un professionnel.

Lors du remisage, ne jamais laisser l'appareil armé. Ne jamais huiler le mécanisme de l'appareil. C'est inutile et très dangereux.

Il est rarement possible de réparer un appareil tombé dans l'eau de mer. Si cela se produit, il faut le faire réparer le plus rapidement possible et l'immerger dans l'eau douce jusqu'à ce que les techniciens de l'atelier s'en chargent.

Ne laissez jamais votre appareil dans une auto exposée au soleil par temps chaud, même s'il est dans son étui, car il sera certainement endommagé par la chaleur.

Le flash électronique

Plus rapides et plus économiques que les lampes-éclairs, les flashes électroniques se sont récemment perfectionnés à la suite de l'invention du système Thyristor, grâce auquel il n'est plus nécessaire d'ajuster l'ouverture du diaphragme chaque fois que l'on change de distance pour la prise de vue. On fait la mise au point et le tour est joué.

Pour les flashes à piles, surveillez l'état de leur charge. Les piles rechargeables, même si elles ne sont pas utilisées, doivent être rechargées chaque mois, pendant au moins huit heures. Si vous négligez de le faire, elles deviendront rapidement inutilisables.

Les caméras de cinéma

Parmi toutes les productions de l'industrie de la photographie, les caméras de cinéma sont les appareils qui offrent la plus grande variété: 8 mm, Super 8, 16 mm, films sonores, et plusieurs degrés de sensibilité de pellicule.

On peut trouver dans le même appareil plusieurs gadgets qui donneront aux cinéastes amateurs la possibilité de réaliser des prises de vues dignes d'un vrai professionnel. Zoom électrique, mécanismes pour réaliser des fondus, indicateur de date (chiffres et lettres) incorporé, commande à distance, exposition image par image, vitesses variables, viseur ajustable à la vision, tout cela vous permettra de créer un véritable plateau de tournage de cinéma.

En plus de suivre les recommandations fournies par le manufacturier, je vous conseille de faire fonctionner l'appareil tous les 3 mois pour éviter que les contacts des moteurs (avance du film et zoom) se ternissent. Si cela se produisait, leur vitesse serait faussée. On en imagine facilement les conséquences, surtout dans le cas d'une caméra sonore.

Les projecteurs à diapositives et les projecteurs de films

Pour l'acheteur moyen, tous les projecteurs à diapositives se ressemblent et donnent un rendement équivalent. D'une marque à l'autre, le principe est toujours semblable. Les nouveaux gadgets, tel la mise au foyer automatique, sont très fragiles et peuvent être dispendieux à faire réparer. En ce qui concerne les projecteurs de cinéma, l'acheteur a beaucoup plus de choix: vitesses variables, marche arrière, arrêt sur une image, zoom, dispositif de sonorisation, système d'amplification pour microphone, et ainsi de suite. La liste est longue et ne cesse d'augmenter.

Les mêmes conseils s'appliquent dans les deux cas: il faut toujours laisser refroidir le projecteur avant de le déplacer; il est important de remplacer la lampe par son équivalent et de l'essuyer pour enlever les marques de doigts. Le gras qu'on y laisse autrement a pour effet de réduire considérablement sa durée. Laissez les appareils à la position "neutre" lors du remisage. Les réparations mineures sont presque toujours les mêmes: changement de courroie, réparation ou changement de moteur, ajustement de la tension des rouleaux (ciné-projecteur), ajustement des mécanismes de descente et de remontée des diapositives (projecteur à diapositives) et, enfin, ajustement de la minuterie.

Les appareils à développement instantané

On ne retrouve que trois fabricants d'appareils à développement instantané: Polaroïd, Kodak et Keystone.

Dans les trois cas, finis les déplacements pour faire développer les photos, finie l'attente (quoique réduite à 24 heures chez plusieurs dépositaires), finie l'angoisse devant la question fatale: "Mes photos sont-elles bonnes?" Avec l'instantané, les résultats sont connus peu après la prise de vue. Chez Polaroïd, on a pensé à tout le monde. Même les enfants peuvent se servir du "One Step". Croyez-moi, il s'agit vraiment là de l'appareil le plus simple au monde... sauf pour la réparateur. Le nouveau "SX-70 One Step Sonar", en plus de régler le foyer plus précisément que l'oeil humain ne peut le faire, donne des résultats incroyables au flash dans l'obscurité totale. Pour en arriver là il a évidemment fallu inventer des dispositifs très raffinés et *vraiment* compliqués, même pour quelqu'un qui, comme moi, pensait en avoir vu beaucoup!

Mais hélas il y a des désavantages: le coût élevé d'opération (film, flash), l'inexactitude des couleurs et la grande fragilité de l'appareil.

Lorsque ces appareils "manquent leur coup" et vous donnent de mauvaises photos, cela est souvent dû au fait que le film est trop vieux. Nous conseillons donc de toujours vérifier et noter la date d'expiration écrite sur le film. Si jamais l'appareil bloque, ne tentez pas de le refermer. C'est le meilleur moyen de transformer une petite panne en un gros problème! Les réparations les plus fréquentes sont les nettoyages ou les changements de moteur, l'ajustement du miroir et de la pression des rouleaux, la rectification des contacts électriques, du compte-poses, des vitesses d'obturation et du diaphragme.

Les avantages et les inconvénients du métier

Le micro-mécanicien étant d'habitude au départ un passionné de l'image, il trouve beaucoup de satisfaction à exercer son métier. Comme les changements sont rapides dans ce domaine, l'apprentissage n'est jamais terminé et le côté ennuyeux d'un travail devenu routinier n'existe pas. De plus, la joie de la découverte est pour lui stimulante. Plus un cas lui paraît difficile à régler au départ, plus grande est sa satisfaction lorsqu'il réussit à maîtriser le problème et à remettre le "malade" sur pied.

Évidemment, il existe aussi des inconvénients dans le métier de micro-mécanicien. Quoique le travail s'effectue toujours à l'intérieur et qu'il ne demande pas d'effort physique particulier, il requiert cependant une vue excellente. De plus, la manipulation des micro-pièces exige beaucoup de dextérité et un contrôle parfait des mouvements. Un nombre incroyable de pièces entrent dans la composition d'un appareil-photo. Par exemple, le petit Instamatic Kodak X-15, à lui seul, contient 54 pièces. Le Pentax figurant sur l'illustration renferme 340 morceaux. Vous comprenez pourquoi je disais que ce métier est fait pour les gens calmes et méthodiques!

Conclusion

Nous espérons que cette description de la profession vous aidera à mieux vous convaincre de l'importance du micro-mécanicien.

Le vendeur au comptoir
par Jean Simard

Le spécialiste de la vente au comptoir doit cumuler plusieurs talents. Il doit être un photographe accompli, un expert en mécanique photographique et, enfin, un informateur et un guide sûr pour les amateurs de photographie. Quoiqu'on en pense, sa plus belle récompense lui vient souvent des relations qu'il établit avec ses clients après leur avoir communiqué sa passion pour l'art photographique. Il faut dire aussi que la vie de vendeur d'appareils-photo ne manque pas d'imprévu. Pour vous en donner un petit exemple, voici quelques-unes des réflexions que j'entends souvent dans mon magasin.

— "Monsieur Simard, en voulant peser sur mon bouton de rembobinage, j'ai ouvert la porte. Pensez-vous que je peux faire développer mon film quand même?"

— "Monsieur, je suis allé au bord de la mer, puis juste au moment où je voulais prendre ma plus belle photo, un beau coucher de soleil, j'ai été submergé par une vague. Mon appareil s'est rempli d'eau salée. Pouvez-vous le réparer?"

— "Monsieur Simard, J'avais apporté mon appareil sur la plage, en prenant soin de le protéger par un sac en plastique. Au moment où je l'ai retiré de son étui pour prendre une photo, mon voisin s'est mis à secouer sa serviette. Pas moyen d'enfoncer mon déclencheur, il était coincé par le sable. Est-ce que mon appareil est fini?"

Ça ne s'arrête pas là, évidemment. Parmi les autres "drames" du photographe amateur, il y a aussi les appareils qu'on laisse tomber et ceux qui sont brisés par les enfants. Suite à ces incidents, certains sont irréparables, d'autres sont simplement en mauvais état.

Le manque d'entretien est aussi une autre des causes du mauvais fonctionnement des appareils-photo. Au lieu d'attendre que l'appareil soit complètement bloqué, le photographe amateur devrait, à tous les 3 ou 4 ans, le faire nettoyer et huiler par un professionnel. Plus que tout autre accessoire, l'appareil-photo nécessite une inspection régulière du spécialiste. On évite ainsi les frais de réparation exorbitants. Les petites défectuosités ne se réparent pas d'elles-mêmes. La seule chose qui peut arriver, c'est qu'elles en amènent de plus graves. Il vaut donc mieux prendre les problèmes au début, quand ils sont encore faciles à régler. C'est à ce moment que le vendeur au comptoir prend son importance et que ses conseils sont le plus appréciés.

Les qualités requises

Les vendeurs en photographie sont difficiles à recruter. On leur demande d'être travailleurs et débrouillards. Ils doivent posséder l'expérience de la chambre noire, s'être familiarisés avec les formats 35 mm et 6 X 6 cm (pour pouvoir répondre aux besoins des professionnels), être des habitués du flash. L'expérience en cinéma est également un atout. Parce qu'une grande partie de leur clientèle est composée de jeunes, les marchands d'équipement photographique recrutent de préférence des jeunes qui sont au courant des dernières nouveautés du domaine de la photo et qui ont le loisir de les essayer.

Pour être un bon vendeur, il faut être soi-même mordu de la photo et ne pas craindre de se documenter sur les nouvelles techniques. Personnellement, je laisse à la disposition des vendeurs du magasin tout l'équipement voulu (appareils, objectifs, flashes, etc.) afin qu'ils puissent expérimenter eux-mêmes la marchandise et ainsi répondre adéquatement à la clientèle. Cette façon de procéder constitue en soi une forme de recyclage permanent.

Nombre d'aspirants vendeurs se disent compétents parce qu'ils connaissent bien leur propre appareil. Pourtant, ce n'est qu'après avoir passé plusieurs mois dans le magasin qu'ils ont un aperçu de tous les produits offerts par les distributeurs.

Le revenu du vendeur

Le salaire hebdomadaire se situe en moyenne entre $150 et $300. Mais le vendeur peut bénéficier de primes grâce à des programmes mis sur pied, en guise d'encouragement, par certains distributeurs et marchands.

Plusieurs maisons paient leurs vendeurs au prorata des ventes. Je n'applique pas ce système dans mon magasin car, à mon avis, il fonctionne au détriment du client et, par ricochet, finit par défavoriser le marchand aussi. En effet, le vendeur payé à commission va pousser davantage la vente des "gros morceaux" en donnant le moins de service possible, pour ne pas perdre de temps. Et le client ainsi mal servi et bousculé ira, tôt ou tard, porter son argent ailleurs! Il est important que le vendeur accorde autant de considération au client qui dispose de $50 qu'à celui qui peut en dépenser $500.

Être à son compte

Très peu de vendeurs au comptoir ont la chance de s'installer à leur compte, d'abord en raison des coûts d'inventaire considérables et ensuite à cause de l'envahissement du marché par des maisons de plus en plus puissantes. Même si le gouvernement accorde certaines possibilités aux nouveaux marchands qui ont une bonne formation, les conditions de paiement très rigides exigées par les distributeurs et l'énorme investissement nécessaire au départ en découragent plusieurs. Je considère qu'un montant de $100 000 serait à peine suffisant pour établir un magasin qui soit viable, si on considère les conditions qui régissent la concurrence dans le domaine de la vente de l'équipement de photo.

Le client

La majorité de notre clientèle est constituée par des jeunes. Cette situation s'explique peut-être par le fait que les universités et les autres institutions d'enseignement rendent la photographie plus accessible aux jeunes qu'auparavant. Mais en réalité les gens de tout âge achètent des appareils-photo. J'estime qu'environ 15% de nos clients savent exactement ce qu'ils veulent. Les autres, bien souvent, ont très peu de notions et désirent acheter des appareils semblables à ceux que leurs amis possèdent déjà. C'est presqu'un cours de photographie qu'il faut donner à chaque nouveau client. "Quel genre de photos désirez-vous prendre, Monsieur? Des photos de famille? De sport? De plongée sous-marine?". Un grand nombre viennent ici avec l'intention de se procurer un appareil à développement instantané. Pour le même prix, quelquefois, ils pourraient obtenir un appareil de qualité supérieure de format 35 mm. Il s'agit surtout de guider le client et de l'informer. En photo, l'acquisition d'un bon livre est souvent préférable à des tas de "gadgets". Si le client savait toute l'économie qu'il peut faire en apprenant un peu...

Habituellement, un nouveau client que nous avons conseillé sur le choix d'un appareil "prend la piqûre" en l'espace de trois mois et revient pour obtenir d'autres renseignements et acheter des accessoires.

Amateurs et professionnels

Parmi mes clients, plusieurs se disent professionnels. Cependant, 10% seulement le sont en fait. L'expérience m'a appris qu'il faut autre chose qu'un gros appareil et 3 ou 4 objectifs de taille, sinon de qualité impressionnante pour l'être.

Un client sur vingt, à peu près, possède sa propre chambre noire. Si les photographes amateurs savaient à quel point il est simple de travailler en chambre noire, un bon nombre s'occuperaient eux-mêmes du développement de leurs films. Ils tireraient de cette activité une satisfaction comparable, sinon supérieure à celle que leur procure la prise de vue elle-même. En chambre noire, les amateurs friands d'effets spéciaux peuvent s'en donner à coeur joie.

On rencontre de plus en plus d'amateurs sérieux par rapport à ceux qui se contentent d'utiliser leur appareil pour garder des souvenirs de famille. Pour les trois quarts, mes clients donnent priorité à la qualité de leurs photographies. Ils s'occupent davantage du cadrage et des détails de la photo. L'augmentation du prix des films et du développement les incite d'ailleurs à soigner la qualité de leurs prises de vue.

Bien sûr, depuis l'avènement des appareils à développement instantané, les photos techniquement ratées sont moins nombreuses qu'avant. Mais je pense que la qualité générale des images s'en trouve diminuée. Les couleurs et l'exposition sont bonnes, habituellement, mais les possesseurs de ces appareils accordent moins d'attention à la prise de vue: cadrage, composition, contenu, etc. On dirait que le côté presque magique du développement instantané masque pour eux le fait que leurs photographies sont *aussi* des images, qui pourraient être très belles si leur auteur les réalisait avec un peu plus d'application.

Les femmes et la photo

Il y a plus d'hommes que de femmes qui s'intéressent à la photographie. Mais, à mon avis, les femmes ont généralement plus de succès. Elles sont minutieuses et remarquent les détails. Elles font davantage appel à leur sensibilité et obtiennent pour toutes ces raisons de plus belles photos.

Le snobisme

Certains amateurs mettent toute leur fortune autour de leur cou; ils ne sont malheureusement pas meilleurs photographes pour autant. Ils veulent peut-être simplement impressionner leurs amis ou leurs collègues, et y réussissent généralement...jusqu'au moment où ils montrent leurs photos! Nous essayons de leur conseiller d'acheter des appareils qui soient plus en rapport avec leurs capacités, mais souvent sans succès. Il en est qui demeurent perpétuellement de gros clients de "gadgets" et pour lesquels plus c'est cher, meilleur ce doit être...

Les clubs de photo

Je suis assez sceptique face à la formation de clubs de photographie. L'idée d'une association est intéressante en soi, mais je me suis rendu compte que les membres ne reçoivent pas beaucoup d'information à l'intérieur de leurs clubs sur la technique photographique. La tâche des vendeurs est loin d'être facilitée par la formation de ces groupes. Il semble que leur seul but soit d'obtenir des rabais sur les prix de la marchandise. L'existence de ces clubs ne modifie pas le rôle du vendeur qui doit donner à ces clients, comme aux autres, un service individuel, avec toutes les explications qui se rapportent à l'équipement qu'il met à leur disposition.

Les escomptes et les garanties

Afin de faire face à la concurrence des grandes chaînes de magasins, l'escompte accordé dans les maisons spécialisées sur des appareils neufs peut varier de 10, 15 ou même 25% par rapport au prix suggéré par le distributeur. De plus, la clientèle de nos magasins reçoit un service après vente bien supérieur à celui qu'offrent les grandes chaînes. Un appareil défectueux peut être remplacé par un neuf s'il est rapporté dans un délai de 15 jours. Et si le client bénéficie encore d'une garantie sur son appareil, nous nous chargeons des frais de transport requis pour la réparation.

Si un client, pour une raison ou une autre, n'obtient pas les résultats escomptés avec son appareil, il peut rapporter ses photos ou ses films et le vendeur lui donnera toutes les explications utiles, que ce soit deux semaines ou six mois après son achat.

Et pour finir...

Je considère que vendre de l'équipement photographique au comptoir d'un magasin est un métier passionnant. C'est peut-être parce que je partage la curiosité et le besoin de perfection qui habitent les amateurs de photos, ou simplement parce qu'il me permet de gagner ma vie en passant tout mon temps à parler du sujet qui m'intéresse le plus, la photographie!

L'enseignement en photographie

par Robert Rinfret

Sauf la présence de M. Jules Livernois, de Jules-Ernest son fils photographe, de Louis Lanouette, de L.P. Vallée et de ma mère qui développait elle-même ses photographies, je ne peux que difficilement parler de l'existence d'une tradition photographique au Québec. Évidemment, en traitant de photographie québécoise, je ne voudrais pas oublier Gaby, Gustave Joly de Lotbinière, Notman, Nakash, Armour Landry, Ellefsen, Kréber, J.E. Chabot, Paul Girard... Ainsi, afin de n'oublier personne, je ne dirai rien de l'histoire de la photographie québécoise. Je m'attacherai plutôt à montrer l'éveil récent de notre peuple aux choses de l'image.

L'enseignement de la photo n'est organisé systématiquement que depuis quelques années et, déjà, les places disponibles dans les écoles ne permettent de répondre qu'à une fraction des demandes d'inscription. Aussi, beaucoup de ceux qui s'intéressent sérieusement à la photographie doivent encore se résoudre à apprendre leur métier par eux-mêmes.

Il existe probablement autant de raisons pour vouloir produire des images réussies qu'il y a de photographes. Certains pratiquent un autre métier et s'adonnent à la photo pendant leurs jours de congés. Beaucoup sont des perfectionnistes; ils n'acceptent aucun compromis et réalisent occasionnellement des oeuvres d'une grande beauté grâce à une technique impeccable. Ils ont la chance de ne pas être pressés par des échéances; ils peuvent composer à partir de plusieurs clichés et tirer des quantités d'épreuves avant d'achever le chef-d'oeuvre.

D'autres photographes cherchent à obtenir l'information dont ils ont besoin en fréquentant leur club de photo régional; après avoir échangé leurs vues avec d'autres photographes, ils retournent à la maison la tête remplie de projets auxquels ils s'attaquent avec enthousiasme. D'autres encore s'émerveillent devant l'équipement étincelant en montre dans les magasins de photo et y cherchent la solution de leurs problèmes, sans même connaître les possibilités réelles du matériel qu'ils possèdent déjà.

Travailler avec un ami ou un employeur professionnel est une autre forme d'apprentissage toujours très populaire, surtout parmi ceux qui s'intéressent à la photographie commerciale, particulièrement à la photographie de mariage. Cette façon d'apprendre est efficace lorsque le "pro" ne tient pas à garder jalousement les secrets qu'il possède. Cependant, ce genre de professionnel au coeur généreux ne se rencontre pas partout. Personnellement, j'ai eu la chance d'en connaître un: Louis Lanouette, de Québec. Ce photographe hors pair est mort à la tâche. Il n'est pas le seul au crochet duquel tant de québécois se sont développés. Des milliers de gens ont pu profiter de l'enthousiasme et de la compétence du professionnel avec qui ils ont démarré. Je connais un laitier qui, amoureux du beau et de l'image photographique, s'est instruit auprès d'un grand du photojournalisme pour devenir lui-même un professionnel respecté dans une spécialité scientifique de la photo. Évidemment, une fois lancés, nos néophytes ne cesseront de rechercher des techniques nouvelles qu'au jour de leur mort. La fièvre de la photographie est comme la malaria: on n'en guérit jamais complètement.

Les distributeurs d'appareils et de services le savent très bien et offrent toute une série de cours, de conférences et d'ateliers à leur clientèle sur diverses techniques de la photo. Certains de ces cours sont surtout profitables à ceux qui ont franchi le seuil des notions élémentaires, c'est-à-dire qui connaissent les matériaux photo-sensibles et la façon de les utiliser dans les conditions d'éclairage courantes. Ces cours et conférences populaires sont généreusement agrémentés de trucs et de conseils pratiques plus ou moins sophistiqués. Cependant, les sujets étant traités très rapidement, il faut, pour saisir "au vol" le sens des explications, posséder des notions techniques au-dessus de la moyenne. Il n'est pas rare de voir une personne suivre le même cours à deux ou trois reprises et déclarer chaque fois avoir assimilé de nouvelles notions.

J'ai donné des cours de ce genre pendant plusieurs années dans diverses salles d'hôtels aménagées pour la circonstance. Au début, je croyais qu'il fallait modifier l'enseignement en fonction des différents niveaux de connaissance des étudiants. Je me suis vite rendu compte que personne ne veut admettre qu'il est un débutant, de sorte que les classes du premier niveau sont sous-fréquentées. Si, d'un autre côté, nous offrons un cours avancé, nous donnons la frousse à ceux qui pourraient en bénéficier et les seuls qui se présentent sont les quelques "vedettes" qui connaissent déjà ce que nous avons à dire et se contentent de nous écouter poliment...

Nous sommes donc forcés de préparer des cours de niveau "intermédiaire", en y glissant à l'occasion des "trucs" sophistiqués. Au Québec, plusieurs de ces cours sont repris d'une année à l'autre. Les mieux connus sont les PHOTIQUE 74, 75, 76, 77, 78, 79, etc. Généralement d'une durée d'une semaine, ils ont lieu à chaque printemps, le plus souvent au campus de l'université de Sherbrooke. De nombreux animateurs y révèlent leurs secrets; l'ambiance est enthousiaste, les ateliers sont nombreux et bien organisés. André Germain, du service audio-visuel de l'Hydro-Québec, est l'âme de cette initiative importante de l'enseignement populaire de la photographie professionnelle.

De nombreuses compagnies organisent des conférences sur la photographie. Certaines sont destinées aux professionnels et d'autres au public. Les cours offerts à l'intention des professionnels sont souvent d'un prix abordable et, quelquefois, ils sont offerts gracieusement par ceux qui les subventionnent. C'est entre autres le cas des rencontres organisées régulièrement par Photo-Québec de Giffard, près de la ville de Québec, et le Symposium déjà présenté par Le Centre de la Couleur de Saint-Hyacinthe. Récemment, la maison Balcar invitait des photographes de Québec et de Montréal à une démonstration de leurs lampes-éclairs électroniques de studio, certainement dans l'espoir bien légitime d'augmenter la vente de leurs produits au Québec. D'ailleurs, je suis d'avis que les compagnies distributrices qui organisent pour le bénéfice du public des cours, des ateliers et des conférences, offrent ces services, la plupart du temps, dans le but d'en retirer un profit plus ou moins immédiat.

Ceci dit, il est difficile d'évaluer la valeur de ces mini-cours, puisqu'ils sont d'une durée variable et que le personnel enseignant change constamment. Néanmoins, ce genre d'événement suscite toujours beaucoup d'enthousiasme; il augmente encore notre désir de mieux travailler, de poursuivre une recherche sur un thème ou un autre à l'aide d'une gamme toujours grandissante d'accessoires de prise de vue, d'agrandissement et de projection.

Les plus importants parmi les cours dispensés aux amateurs sérieux sont les "Quinzaines de la photo" donnés par les Studios Gosselin dans la région de Lévis (ateliers gratuits). Il y a aussi les cours de photographie Nikon dont, malheureusement, le coût augmente d'année en année. Cette présentation audio-visuelle porte sur une dizaine de thèmes en rapport avec l'usage des appareils de format 35 mm.

Comme j'ai contribué à ces deux formes d'enseignement populaire portant sur des thèmes précis, je pourrais facilement m'étendre sur le sujet mais ce serait donner trop d'importance à un genre d'apprentissage qui ne peut remplacer l'école. Je tiens cependant à souligner que d'une année à l'autre, certains ateliers sont modifiés. À la fin de chacune des sessions, les participants sont en effet invités à remplir un questionnaire portant sur divers aspects des ateliers et conçu en vue d'améliorer le contenu des cours. Les ateliers portent sur des sujets aussi divers que la technique du 35 mm, la macrophotographie, le choix approprié des différents objectifs, l'usage des filtres en noir et blanc et en couleurs, l'exposition correcte la nuit, le portrait, la photo de voyage, le montage d'un diaporama, la photographie d'enfants, les natures mortes, les paysages, la composition de l'image, la photo d'animaux, l'aménagement des laboratoires, la pratique du travail en chambre noire, les techniques de présentation et de montage des photographies et même le cinéma amateur.

Par ailleurs, les rencontres comportent des séances d'analyse des travaux apportés par les étudiants qui peuvent ainsi bénéficier des conseils que leurs donnent les professionnels. Les animateurs de ces ateliers-rencontres sont des éducateurs connus dans un domaine particulier et des photographes professionnels de renom.

Mais revenons à mon objectif premier, qui est de traiter du métier d'enseignant de la photo. Je ne voudrais pas répéter les prospectus des associations et des écoles de photographie. Ce serait un peu trop long et je pense que ces organismes sont capables de vous fournir directement toute l'information dont vous aurez besoin. J'essaierai plutôt de vous donner un tableau général de l'évolution et de la situation actuelle de l'enseignement de la photo au Québec. Je vous relaterai aussi quelques expériences vécues par les professeurs des clubs de photo, des centres de loisirs et des différentes institutions d'enseignement.

Précisons d'abord qu'il s'agit effectivement d'un métier et que plusieurs personnes vivent exclusivement de l'enseignement de la photo. Je l'ai fait personnellement pendant sept ou huit ans et j'ai pris à cette époque un embonpoint dont je ne peux me départir aujourd'hui. Les professeurs de photo ne sont donc pas si mal traités, à la fin...

Les clubs

Le Québec ne compte pas moins d'une cinquantaine de clubs de photo, les uns affiliés à une grande association de photographes amateurs,

les autres indépendants. De plus, la plupart des institutions d'enseignement ont évidemment leurs clubs de photo.

Il est bien rare cependant que ces clubs aient des ressources financières suffisantes pour employer un professeur à temps complet. L'enseignant est souvent un membre du club qui a déjà étudié la photographie. Il peut encore faire partie du personnel du centre audio-visuel, où il travaille durant la journée, ce qui l'oblige à animer les réunions du club, plus ou moins régulièrement, le soir.

Les activités de ces réunions d'amateurs de la photo varient tellement d'un club à l'autre qu'il serait trop long de traiter en détail du contenu des cours. J'ai quand même remarqué que dans plusieurs clubs importants on trouve une personne ressource qui s'intéresse à un domaine particulier de la photographie. Il n'est pas rare qu'un même club abrite une douzaine de spécialistes, je devrais plutôt dire de maniaques de la macrographie, du nu, de la botanique, de la photo aérienne, du portrait, du paysage, du reportage, du diaporama, de l'agrandissement de format mural, du haut contraste, du traitement de la photo en couleurs, de la réticulation, du bas-relief... et j'en passe. Chacune de ces personnes est très fière de sa science, de son habileté et des avantages de sa spécialité. Elle ne se fait ordinairement pas prier pour expliquer ses techniques aux membres qui s'y intéressent. Même si les enthousiasmes ne sont pas toujours partagés, il reste que le réservoir d'information existe et que les activités des rencontres régulières des clubs sont habituellement thématiques et mettent en vedette leurs différents "spécialistes".

Les centres de loisirs

Existe-t-il une seule municipalité québécoise qui n'a pas son centre de loisirs socio-culturels? Vous êtes mieux informé que moi pour répondre à cette question. Pour ma part, j'ai eu des étudiants en techniques de loisirs qui devaient obligatoirement prendre des cours de photo. Comme soixante nouveaux étudiants s'inscrivent chaque année à ces cours et que ce régime dure depuis dix ans, environ six cents responsables de loisirs peuvent animer des ateliers de photo. Ces étudiants étant du genre solide, rayonnants de santé et très dévoués, je ne serais pas surpris de les voir dispenser à peu près le même genre d'enseignement qu'ils ont reçu.

Comme leurs élèves sont appelés à devenir animateurs un jour, les professeurs de techniques des loisirs mettent l'accent sur la démonstration des éléments fondamentaux comme la manipulation des appareils de prise de vue, les films en noir et blanc et en couleurs de format 35 mm et 6 X 6 cm, l'usage du posemètre, la prise de vue à la lumière du jour et sous éclairage artificiel et les travaux de chambre noire.

Tout ne s'arrête pas là et le fait de réussir l'exposition et le développement d'un film ne veut pas dire que l'image produite remplace les mille mots du proverbe. Le plus souvent, il faut des centaines de phrases pour que l'étudiant débutant puisse nous faire comprendre ce qu'il a tenté d'exprimer par sa photo. Il doit alors acquérir des notions élémentaires d'expression visuelle et faire des exercices sur la forme bidimensionnelle, sur la symétrie et l'asymétrie, sur l'usage possible de la lumière dans la scène, sur le rendu de l'action du sujet, sur la profondeur de champ, sur les effets d'éclairage et sur le choix de "l'instant décisif".

Les institutions d'enseignement

Au Québec, nous sommes à tester un système d'éducation tout neuf. Depuis la Révolution tranquille des années soixante nous vivons des changements importants, dont l'enseignement de la photo est affecté.

Avant la création du ministère de l'Éducation, la photographie était enseignée à l'École des Beaux-Arts en tant que partie des arts plastiques. Cette discipline était aussi enseignée à l'Institut technique des Trois-Rivières, où un cours professionnel de deux ans avait été mis au point par quelques photographes missionnaires remplis d'enthousiasme et possédant une bonne expérience de la pratique du métier. À Montréal, l'Institut des arts graphiques avait organisé des cours spécialisés en photo-mécanique, afin de préparer les imprimeurs à mieux traiter l'image photographique. Durant les années cinquante, des groupes d'étude se dont formés et ont ouvert la voie au Comité consultatif provincial sur l'enseignement de la photographie au Québec. Celui-ci avait pour but d'étudier les besoins de la province et de présenter au gouvernement des recommandations sur l'enseignement futur de la photo à tous les niveaux, du primaire à l'universitaire.

Pendant plus de trois ans, des gens du ministère de l'Éducation et des professionnels de la photo se sont réunis, ont accumulé de l'information et ont finalement communiqué au gouvernement des propositions sur le contenu des cours à donner au niveau secondaire et au niveau collégial; ils ont même soumis des listes de matières premières et d'équipement, ainsi que des croquis sur la disposition et l'aménagement des locaux. Ce travail énorme, produit dans un esprit de générosité inimaginable, aura permis de formuler les structures de base de l'enseignement de la photo. Il ne restait plus qu'à laisser les enseignants spécialisés adapter ces structures aux besoins régionaux et aux compétences disponibles.

Paul Taillefer et Paul Christin ont suivi pendant trois ans le rodage des programmes. Évidemment, tout changement important visant l'ensemble de la province était susceptible d'entraîner quelque mécontentement au niveau régional de sorte que l'implantation structurée de l'enseignement de la photo ne s'est pas fait sans douleur. Les écoles déjà en place furent quelque peu bousculées. Les pôles d'intérêt s'étant déplacés vers Montréal, où le besoin était pressant, l'école de Trois-Rivières a été forcée de perdre son exclusivité au profit du cégep du Vieux-Montréal, alors que cet enseignement était déjà passé momentanément aux Beaux-Arts alors en voie de devenir l'Université du Québec à Montréal. Depuis 1969, un grand nombre d'autres écoles se sont dotées d'un programme d'enseignement de la photo. Voyons maintenant quels genres de cours sont présentés à chaque niveau d'enseignement.

Le niveau secondaire

Au niveau secondaire, selon l'orientation prise par les directeurs pédagogiques de chaque polyvalente ou de chaque commission scolaire, on offrira des cours occupationnels, culturels ou professionnels. Les cours à orientation occupationnelle ne sont offerts que dans des cas isolés et servent à expérimenter des méthodes d'enseignement dans des classes constituées d'étudiants handicapés ou retardés. Les cours occupationnels ne comportent que les techniques de base de la prise de vue, car c'est le contenu visuel exprimé qui est l'élément le plus important, et non la complexité des moyens choisis pour y arriver. Le professeur emploie surtout des appareils pré-ajustés et les étudiants n'ont qu'à composer l'image; un technicien se charge ensuite de développer les pellicules et d'imprimer les planches de contact avant de procéder à l'agrandissement.

J'ai eu l'occasion de discuter avec la personne responsable de cette initiative dans une école de Montréal et, au cours de cette rencontre, je me suis rendu compte que la qualité d'expression visuelle de la plupart de ses étudiants était vraiment surprenante. Ces enfants s'expriment mieux par l'image que par les mots et ils ont la faculté de voir des choses que nous, ''les lucides et plus'', n'osons pas photographier parce que trop simples, déjà vues ou soi-disant infantiles. Ce genre de travail est, bien sûr, une activité très spéciale et l'enseignant-photographe doit être tout aussi versé en psychologie qu'en photographie. Il s'agit sans nul doute d'une vocation très prenante pour ceux qui sont qualifiés.

Au niveau de l'enseignement secondaire, l'orientation des cours dépend, encore une fois, des conseillers pédagogiques et de la marge de manoeuvre permise par la direction. Je crois qu'on peut affirmer que la photographie est présentée dans toutes les maisons d'enseignement. Cette activité n'est généralement pas restreinte au club de photo de l'école seulement; la plupart du temps, elle s'intègre aux autres activités sociales et culturelles pratiquées à l'école en dehors des heures de cours. Si un journal scolaire est publié, beaucoup des meilleures images sont imprimées et circulent dans toute l'école. Cependant, quand la photographie n'est qu'une activité para-scolaire, il est rare que l'apprentissage soit suivi et organisé. J'ai remarqué que seuls les étudiants vraiment entreprenants reçoivent l'attention des professeurs, qui sont rarement spécialisés en photographie. Il s'agit souvent d'enseignants de physique, de chimie, de géographie ou d'histoire qui choisissent de s'occuper de la photographie en raison des exigences de leur convention collective. Une douzaine d'écoles secondaires incluent la photographie dans leurs cours à portée culturelle. Dans ce cas, on rencontre de vrais professeurs de photographie, qui savent enthousiasmer leur classe, que le temps soit beau ou mauvais, et faire comprendre à leurs étudiants que la photographie est un moyen d'expression tout aussi valable que les autres arts visuels. Les cours culturels donnés au niveau secondaire sont évidemment structurés; ils se dispensent en respectant les périodes allouées par l'horaire et renferment un minimum de techniques fondamentales en optique, chimie, physique et esthétique. Le règlement n'est pas rigide et la liberté relative qu'on leur accorde permet aux enseignants doués d'enrichir notablement le contenu de base qu'ils sont tenus de livrer.

J'ai visité plusieurs des expositions de fin de session qui clôturent l'année académique et j'ai été frappé par la variété des thèmes choisis par les étudiants. La qualité de la présentation des photos s'améliore graduellement.

À mon avis, le rôle le plus difficile à assumer au niveau secondaire est celui du professeur d'enseignement professionnel. Je dois tout de suite ajouter qu'il ne faudrait pas dramatiser les choses puisque cet enseignement n'est dispensé que dans trois écoles, une à Montréal, une à Trois-Rivières et une à Charlesbourg, près de Québec.

Les problèmes que l'on rencontre sont de deux ordres. Premièrement, il arrive parfois que des étudiants ayant de la difficulté à réussir les cours normaux soient orientés vers "les métiers". Théoriquement, cette procédure ne devrait pas porter préjudice sauf qu'en pratique, les cours professionnels au secondaire sont surchargés. L'étudiant en photographie a donc plus de matière à apprendre que s'il était demeuré au cours général. La raison en est que ce cours d'un an a été condensé à partir d'un programme normalement dispensé en deux ans. Si une sélection devait être faite, elle devrait donc toucher des élèves sur-doués, ayant des aptitudes en organisation spatiale et picturale, au lieu de s'appliquer à ceux qui ont des difficultés d'apprentissage.

L'autre problème vient de la situation du marché du travail. La machine remplace de plus en plus l'ouvrier de laboratoire et dans le domaine de la prise de vue, le travail est occasionnel et la concurrence très forte. Je vois mal le finissant du secondaire présenter un défi sérieux aux portraitistes chevronnés ou aux autres spécialistes de renom qui abondent au Québec. Déjà les diplômés du niveau collégial doivent travailler très fort afin de se tailler une place dans le monde de l'image publicitaire. Comment les finissants du secondaire y arriveront-ils? La question est posée et je sais bien qu'il se trouve au moins une exception à toute règle mais à quel prix?

Par contre une initiative très intéressante prise par les écoles secondaires est celle de l'enseignement aux adultes. Il s'agit de cours de rattrapage offerts aux citoyens d'âge moyen qui n'ont pas eu la chance de prendre des cours de photographie lorsqu'ils fréquentaient les écoles de l'ère pré-révolution tranquille. Ici, nous retrouvons non seulement les professeurs du cours régulier de jour mais aussi les photographes professionnels de la communauté environnante qui viennent prêter main-forte au personnel régulier de l'école. Le résultat est une expérience enrichissante pour tout le monde. L'étudiant est le premier à bénéficier de l'apport de toutes ces personnes ressources qui échangent idées et techniques pendant plusieurs heures d'affilée. La pause-café n'est qu'un autre prétexte pour discuter photo avec un groupe autre que celui de la classe. Les professionnels qui deviennent enseignants ont l'occasion rêvée de partager leur savoir avec leurs concitoyens. Tous ne réussissent pas également. L'enseignement est un métier où un effort considérable de vulgarisation doit être mis en oeuvre. Les connaissances qui sont appliquées de façon machinale par l'habitué doivent être traduites en termes accessibles pour l'étudiant parce que dans ce cas, il s'agit de notions plus ou moins abstraites.

Généralement, le photographe professionnel qui réussit à devenir enseignant approfondit son art en sortant de sa coquille pour échanger son expérience avec les autres professeurs diplômés qui ont une formation culturelle solide. Par ailleurs, les enseignants professionnels ont souvent une attitude trop académique, ils attachent beaucoup d'importance à des défauts qui ne sont visibles que pour eux. Tous ces adeptes de la photo ont avantage à s'enrichir mutuellement et à ne pas garder jalousement leurs petits secrets. De toute façon, leurs trucs seront découverts, puisque nos jeunes ont le temps de faire de la recherche et de l'expérimentation.

Les niveaux collégial et universitaire

J'ai vécu toutes les expériences dont je vous parle et aujourd'hui, comme je ne suis plus enseignant mais quand même très près du milieu, je pense pouvoir analyser la situation lucidement sans chercher à défendre qui que ce soit. Après avoir été en contact avec tous les secteurs de l'éducation, j'en suis venu à la conclusion que les institutions de niveau collégial constituent évidemment le milieu le plus favorable à l'enseignement professionnel de la photo. Il y a pour cela plusieurs raisons. La photographie est un moyen d'expression extrêmement diversifié. Pour s'en servir efficacement, il faut posséder des facultés conceptuelles très bien développées afin de pouvoir créer des images "qui veulent dire quelque chose". Les cégeps qui offrent des cours de photographie peuvent permettre ce développement du conceptuel puisque les cours de photo s'inscrivent dans le secteur des arts et que les étudiants passent au moins trois ans à côtoyer des professionnels de la conception: peintres, sculpteurs, décorateurs, graphistes, historiens de l'art, céramistes. Cet important réservoir de concepteurs visuels influe sur le développement des professeurs et des étudiants, qui ont autant de cours obligatoires en art qu'en techniques de la photographie. Ils doivent réussir plusieurs cours successifs en histoire de l'art, en dessin d'observation, en dessin technique, en organisation picturale, en organisation spatiale, en physique et en chimie de la couleur, en projets d'expression visuelle et en recherche visuelle.

Deuxièmement, les étudiants du niveau collégial ne sont pas forcés par la loi de fréquenter l'école. Ils le font volontairement, en ayant choisi eux-mêmes la discipline qui les intéresse le plus. Ils sont très exigeants et tolèrent mal un professeur médiocre, ce qui a pour effet d'améliorer la qualité de l'enseignement. Le professeur mal préparé pour son cours est "mis en boîte" très rapidement et si cet état de chose se répète trop souvent, les étudiants se chargent collectivement de dénoncer ce rare enseignant délinquant.

Troisièmement, les demandes d'admission en photographie dépassent largement le nombre de places disponibles! À chaque nouvelle session, on effectue une sélection très serrée, basée surtout sur l'excellence du dossier académique de chaque candidat, ce qui contribue à enrichir la qualité des groupes d'étudiants en photographie. Il arrive souvent que la sélection de quarante nouveaux élèves soit faite à partir d'au delà de quatre cents demandes. Il arrive aussi qu'un étudiant doive présenter sa candidature plusieurs fois de suite avant d'être finalement admis. J'estime que c'est un privilège pour un professeur que de pouvoir contribuer au développement de jeunes aussi éveillés que ceux-là. Quelle différence entre la capacité d'apprendre des "cégepiens" et celle des étudiants du niveau secondaire qui sont orientés vers les "métiers" parce qu'ils ont des difficultés académiques.

En guise de conclusion je peux dire que la qualité de l'enseignement collégial s'améliore de session en session. Les professeurs, qui étaient plutôt timides en 1969, sont plus sûrs d'eux, mieux informés et assez réalistes quant aux chances de succès qu'auront les étudiants de gagner leur vie en faisant de la photographie. Le nombre de gradués dépasse légèrement les besoins immédiats, ce qui est très sain puisque la clientèle se chargera de compléter la sélection déjà amorcée pendant les six, sept ou huit sessions qu'auront duré leurs études collégiales. Parmi les quarante étudiants admis, huit ou dix environ trouveront une place sur le marché du travail trois ans plus tard. Nous assistons maintenant à une évolution lente mais quand même appréciable de la qualité des travaux photographiques et cette amélioration semble aller de pair avec l'évolution de la qualité pédagogique de nos professeurs de photo.

Le cégep du Vieux-Montréal et le cégep de Matane sont les deux collèges francophones qui offrent ces cours tels que décrits par le cahier des programmes de la Direction générale des études collégiales du Québec. Le cégep d'Ahuntsic continue d'offrir son cours professionnel de photo appliqué aux arts graphiques, un cours très bien rodé qui, dans les années soixante, était "le cours spécialisé" alors que le collège s'appelait l'Institut des arts graphiques du Québec. Du côté anglophone, le cégep Dawson, à Montréal, donne aussi un cours professionnel accepté par le ministère de l'Éducation. Ce collège a une école annexe qui se nomme "The Dawson Institute of Photography". On y dispense un cours professionnel aux adultes; ceux-ci doivent assister à douze périodes de cours de photo par semaine. La progression des cours est thématique et leur contenu m'apparaît très étoffé. Une de mes filles y est inscrite et je suis évidemment très heureux de constater l'intérêt généré en elle par ses professeurs. Comme mon

observation ne dure que depuis une session, il est trop tôt pour pousser plus loin mon évaluation. De toute façon c'est un excellent départ. Le cégep d'Ahuntsic offre aussi un cours du soir comparable à ceux qui se donnent dans le cadre des programmes d'éducation permanente dispensés dans les régionales et les polyvalentes de l'ensemble du Québec. Il existe une quantité assez importante de cours d'appoint qui traitent de l'image photographique au niveau universitaire. Toutes les universités québécoises, canadiennes et américaines engagent un certain nombre de professeurs de photographie qui enseignent dans le cadre de leurs programmes d'arts visuel et plastique, surtout dans les écoles des beaux-arts, d'architecture et de graphisme. Depuis quelques années, les facultés d'éducation offrent un cours de conception en audio-visuel ou de technologie éducative. Ces classes font largement appel aux techniques photographiques et cinématographiques, ce qui oblige chaque université à engager au moins un professeur de photographie. Tous les programmes universitaires d'éducation permanente comprennent des cours reliés de près ou de loin à l'image, l'éclairage, la prise de vue, la critique visuelle ou simplement la photographie. Généralement, les universitaires s'attachent surtout aux questions d'esthétique et favorisent un traitement plus recherché et souvent plus abstrait de l'image photographique.

Qu'est-ce qu'un professeur de photographie?

Certaines personnes ont une capacité naturelle à susciter l'enthousiasme de ceux avec qui elles communiquent. Les individus auxquels je pense représentent bien cet enseignant idéal; ils ont en plus beaucoup de connaissances à transmettre et ils savent doser le débit de leur information pour que leurs élèves aient tout le temps de saisir leurs messages. Ils ont du métier et peuvent facilement juger de l'importance relative des éléments séquentiels nécessaires à l'explication d'une théorie. Ils savent comment présenter une démonstration pratique. Ils donnent des assignations réalistes afin de faire suivre à l'étudiant une progression utile plutôt qu'un cours savant mal adapté à leurs capacités et à leurs besoins. Ce problème précis peut être facilement le lot d'un jeune gradué qui devient professeur avant même d'avoir eu le temps de vivre quelques années dans la réalité de gagner sa vie en vendant ses travaux photographiques ou son temps à un employeur. Pour celui qui n'a pas eu assez d'expérience pratique, toutes les techniques sont d'égale importance, tous les thèmes présentent un intérêt et très peu de recherches ont été véritablement approfondies. Les photographes "nouvelle vague" ne sont pas les seuls à souffrir de ce manque de profondeur professionnelle. Un grand céramiste québécois me disait que dans certaines écoles, le professeur de céramique est le produit de trois ou quatre générations d'enseignants qui n'ont jamais eu l'expérience du marché du travail. L'enseignement de la photographie est encore jeune et ici, ce problème ne dépasse guère la deuxième génération. Je pense quand même qu'il est temps de signaler ce danger, qui ne tardera pas à devenir une réalité.

Le métier d'enseignant n'est pas très rémunérateur, si on compare son salaire au revenu d'un photographe professionnel qui est le moindrement en demande. Pour le jeune gradué, le salaire des enseignants est quand même intéressant, surtout si l'on tient compte des vacances d'été, des vacances de Noël et des horaires moins chargés que ceux par exemple d'un photographe de presse ou d'un photographe spécialisé en publicité.

Certains professionnels doués d'une résistance physique phénoménale réussissent à pratiquer les deux métiers simultanément. Quelques autres enseignants de carrière ont changé de discipline en cours de route, passant des arts plastiques ou des arts graphiques à la photographie.

Nous avons de moins en moins besoin de nous expatrier pour suivre un bon cours en photographie. Nous n'avons certes pas encore éclipsé les grandes écoles étrangères mais nous pouvons être heureux de bénéficier de cours donnés dans notre langue par beaucoup d'hommes et de femmes généreux qui, eux, avaient dû se rendre à l'étranger apprendre le métier en Ontario, aux États-Unis ou en Europe. Ils partagent leur savoir avec nous aujourd'hui, dans nos propres institutions d'enseignement. À mon grand regret, je dois cependant avouer que nos écoles sont toujours mal préparées pour enseigner le cinéma. Les Italiens, les Anglais, les Américains et les Français continuent de dominer la scène pédagogique dans cette discipline très spécialisée. Comme c'est un sujet qui s'éloigne des objectifs de ce livre, je reviendrai en Amérique pour citer quelques écoles canadiennes et américaines toujours prestigieuses par la qualité de leurs professeurs et des étudiants qu'ils forment.

MONTRÉAL:

Écoles d'État:
CEGEP DU VIEUX MONTRÉAL
diplômes collégiaux

COLLÈGE DAWSON
diplômes collégiaux

MATANE:

CÉGEP DE MATANE
diplômes collégiaux

QUÉBEC:

POLYVALENTE JEAN-TALON
diplômes secondaires

TROIS-RIVIÈRES:

Commission scolaire Vieilles-Forges
diplômes secondaires

LAVAL:

Commission scolaire Chomedy-Laval
diplômes secondaires

Presque toutes les maisons d'enseignement public de la province de Québec offrent des cours para-scolaires de photographie.

MONTRÉAL:

Écoles privées:
Académie des arts de Montréal
1722, rue Saint-Hubert
École de photographie technique
1411, rue Amherst
École de photographie Marsan
1600, rue Berri
School of Modern Photography
1199, rue Bleury

TORONTO:

RYERSON INSTITUTE OF PHOTOGRAPHY
degrés universitaire et collégial

HUMBER COLLEGE
diplômes collégiaux

SHERIDAN COLLEGE à OAKVILLE
collège communautaire

HALIFAX:

NOVA SCOTIA COLLEGE OF ART AND DESIGN
HALIFAX, NOUVELLE-ÉCOSSE

EDMONTON, ALBERTA:

NORTH ALBERTA INSTITUTE ON TECHNOLOGY
11762, 106e rue,
Edmonton, Alberta
diplôme collégial

CALGARY:

ALBERTA COLLEGE OF ART
1301, 16e avenue NW
Calgary, Alberta
diplôme collégial

CALIFORNIE:

BROOKS INSTITUTE OF PHOTOGRAPHY
2190, Alston Road
Santa Barbara, Calif. 93108 USA
degrés universitaire et professionnel .

NEW YORK:

ROCHESTER INSTITUTE OF TECHNOLOGY
school of photography
Rochester, N.Y. USA

En France, on trouve les institutions et organismes suivants:

Écoles d'État: [1]
École nationale de photographie,
cinématographie et télévision
85, rue Vaugirard
F-75006 Paris

Institut de photographie scientifique et médicale
Faculté de Médecine et de Pharmacie
Boulevard Jean Moulin
13 Marseille

École nationale Louis Lumière
École technique d'État
8, rue Rollin
75005 Paris

Chambre de Commerce et d'Industrie de Paris
73, boulevard Saint-Marcel
75013 Paris

Lycée d'enseignement professionnel technique
rue Molière
64300 Orthez

Lycée d'enseignement technique
Parc Grandmont
37200 Tours

Écoles privées:
A.C.E. 3P
Ecole technique privée mixte
5, rue René Robin
94200 Ivry

École technique privée de
photographie et de l'audio-visuel
28, I impasse Barthe
31200 Toulouse

---

1) Renseignements fournis par le Consulat général de France à Montréal.

E.F.E.T.
(École française d'enseignement technique privée
117, rue de la Tour
75016 Paris

École Édouard Illiesco
rue Nationale
37320 Cormery
et
14, rue des Carmes
75005 Paris

Institut français de photographie
7, boulevard Anatole France
92 Boulogne

Studio de l'image
14, rue des Carmes
F-75005 Paris

École moderne de photographie
7 bis, rue de Rennes
75006 Paris

Conclusion

Je ne peux pas vous entretenir d'un métier si captivant sans ressentir une certaine nostalgie. Le contact des jeunes si enthousiastes et leur reconnaissance envers celui qui les a guidés continuent de m'attendrir.

Ces beaux moments me font oublier les périodes difficiles d'apprentissage où je devais dompter ma timidité et mon manque d'expérience de l'enseignement. Il est toujours pénible de se sentir mal préparé pour donner un cours portant sur un aspect moins connu, mal pratiqué, cadrant mal avec son expérience personnelle; mais lorsque ce cours est au programme, il faut passer à travers et s'en sortir sans perdre la face. Les étudiants dépendent entièrement de notre capacité à partager, il ne faut pas les décevoir.

Ça m'a fait plaisir de vous mettre dans le coup en vous présentant mon expérience de l'enseignement de la photographie. Si des personnes se sentent oubliées cela n'est dû qu'à ma plume encore toute neuve. Mes intentions étaient tout autres.

Le photothécaire

par Denise Houle

Le photothécaire est en quelque sorte un cousin du bibliothécaire puisqu'il a pour fonction de cataloguer, classifier, classer et fournir de la documentation destinée au public. Seul l'objet sur lequel portent ces opérations diffère: il s'agit en effet de la photographie ou de la diapositive au lieu du livre. Et, cela va de soi, le photothécaire travaille dans une photothèque.

Formation

Faire carrière dans la fonction publique réserve parfois des surprises. Entrée au gouvernement du Québec à titre d'auxiliaire en recherche et en information, j'aurais été bien étonnée si on m'avait dit alors que je deviendrais un jour photothécaire. Comme quoi le fonctionnarisme mène à tout...

J'appartiens au corps des bibliotechniciens, mais un cours en bibliotechnique n'est pas une condition essentielle pour devenir photothécaire, à moins que l'organisme employeur ne classifie ses documents selon le système Dewey ou celui de la Bibliothèque du Congrès.

Un photothécaire doit, d'abord et avant tout, aimer la photographie et posséder le "coup d'oeil" pour sélectionner, parmi les "prises" du photographe, celles qui pourront servir à la "clientèle" de la photothèque.

Quelle est donc cette clientèle? Certaines photothèques, comme celle dans laquelle je travaille, ne sont ouvertes qu'à une clientèle spécialisée. D'autres sont accessibles à tous: elles alimentent aussi bien les journalistes, les éditeurs ou les publicitaires que les chercheurs, les éducateurs et les étudiants.

Exigences

Physiques

Il va sans dire qu'en plus du "coup d'oeil", le photothécaire doit avoir de bons yeux — médicalement parlant — car il passera parfois de longues heures, penché sur la visionneuse, afin de choisir les négatifs et les diapositives qui enrichiront sa banque de documents.

Intellectuelles

Le photothécaire doit voir à la mise à jour de sa documentation. En effet, tout change à un tel rythme qu'il devra parfois demander aux photographes de reprendre les mêmes sujets d'une année à l'autre. S'il n'a pas de photographes qui sont directement à son service, il lui faudra s'adresser à différentes sources d'approvisionnement en images afin de remettre son inventaire à date... sans non plus jeter "le vieux stock"! Par exemple, une vue aérienne de la ville de Montréal sans le stade olympique serait déjà désuète. Et pourtant, le stade n'a pas encore quatre ans. Et les villes ne sont pas les seules à changer de visage. Les automobiles, les vêtements, le mobilier des maisons, les équipements de sport, les techniques de l'industrie et de la construction évoluent aussi très rapidement.

Pour mener à bien sa tâche et garder sa photothèque "vivante", le responsable doit se tenir au courant de tout changement affectant sa discipline et ses champs d'action. À cet effet, il doit posséder et cultiver un tel sens de l'observation que rien ne puisse lui échapper.

Caractérielles

Inutile d'ajouter que le photothécaire doit être soigneux et ordonné, .car, en plus de sélectionner les travaux de ses collègues, il doit classifier et classer ses documents. Il doit encore établir des fiches correspondant à chacun d'entre eux pour offrir aux usagers un service efficace et rapide.

Je travaille à la direction générale de l'édition du gouvernement du Québec. Nous classons nos photographies et diapositives par sujets: activités québécoises annuelles, agriculture, commerce et affaires, construction et architecture, culture, etc., et par ordre chronologique. Ainsi, le négatif 79-0009 correspond à la neuvième photo sélectionnée en 1979. Pourquoi quatre chiffres? Parce qu'à la fin de l'année, il y aura probablement 6999 négatifs en voûte — plus ou moins.

En voûte? Il ne s'agit évidemment pas d'un coffre-fort mais d'un endroit climatisé où l'on range négatifs et diapositives. Quant aux photographies en noir et blanc et en couleurs, il est très important de ne pas les exposer à une trop grande chaleur et de les protéger contre la poussière.

Tous les jours, le photothécaire reçoit des gens et répond aux demandes qui lui sont faites par téléphone ou par lettre. Il doit donc être sociable et s'exprimer correctement.

Cette sociabilité s'impose dans son milieu de travail car il a parfois à porter un jugement sur les réalisations des photographes et des techniciens avec lesquels il collabore. Tout photothécaire devrait d'ailleurs avoir suivi un cours de photographie, ce qui rendrait sa tâche plus intéressante et lui assurerait une meilleure crédibilité auprès de ses collègues. Allez donc dire à un technicien: "Ta photo manque de contrastes. Prendrais-tu un grade de papier moins élevé?" si vous n'avez aucune notion du métier... Il importe également de savoir "lire" un négatif, c'est-à-dire savoir ce qu'il donnera en positif, une fois le processus de développement terminé. Dans ce cas, le simple "coup d'oeil" ne suffit pas: un minimum de connaissances techniques est nécessaire.

À quelles portes frapper?

Il arrive qu'une photothèque — même celle du ministère des Communications (avec ses quelques centaines de milliers de documents) — ne puisse fournir la photo ou la diapo demandée. Le responsable se débrouille donc pour satisfaire son requérant et pour cela, il doit savoir à quelles portes frapper pour trouver "Montréal, vu du Mont Saint-Hilaire", ou "des gens du troisième âge en santé, en train de pratiquer un sport". Ces deux exemples vous donnent une idée du genre de demandes auxquelles le photothécaire doit répondre quotidiennement.

Les photothèques ne sont malheureusement pas aussi répandues que les bibliothèques. On en trouve chez nous dans plusieurs ministères, dans les universités, les collèges d'enseignement général et professionnel, à Radio-Canada, à Radio-Québec, à l'Hydro-Québec, au Canadien National, au Musée McCord, au Musée des Beaux-Arts, aux Archives de la ville de Montréal, au Jardin Botanique, dans plusieurs écoles et collèges. En Europe et aux U.S.A. la situation est assez semblable.

Spécialisation

Dans la fonction publique, par exemple, les photothécaires peuvent accéder à des postes d'archivistes en audio-visuel. On demande aux candidats un diplôme en histoire de l'art ou en toute autre discipline connexe et de l'expérience au service d'une photothèque reconnue.

Quel serait le cours idéal?

Au Québec, le cours menant au diplôme d'études collégiales en photographie, offert aux collèges du Vieux-Montréal et de Matane, m'apparaît tout à fait approprié, car je juge personnellement qu'un photothécaire, pour être heureux à son poste, devrait se doubler d'un photographe. Ce cours dure trois ans, après le Secondaire V. Le seul ennui, pour ceux qui désireraient le suivre tout en travaillant, est qu'il n'est offert que le jour.

Réflexions personnelles

Ne connaissant rien de rien à la photographie, j'ai d'abord détesté l'aspect routinier de mon travail mais, désireuse d'améliorer la qualité des services que je rendais à titre de photothécaire, j'ai suivi un cours de photographie donné par le Service des loisirs de la ville où j'habite. Maintenant, parce que j'ai appris à composer avec les moyens du bord, mon métier, sans me passionner, me plaît de plus en plus. Il tient à la fois du journalisme — où j'ai "griffonné" pendant quelques années — et de la bibliothéconomie.

Il me vient parfois des fiertés de conservateur de bibliothèque ou de musée... jetant un "coup d'oeil" sur *mes* trésors offerts à la vue des gens. J'ai beaucoup d'admiration et de sympathie pour mes collègues qui cueillent, jour après jour, des instants de beauté, dans le seul but d'en prolonger la durée. J'ai la certitude que ma collaboration leur est précieuse car je contribue non seulement à rendre utile leur production, mais à présenter leurs travaux sous un jour des plus favorables. Les diapositives de ma diathèque sont autant de petits tableaux que j'aime exposer avec art, apposant telle couleur de préférence à telle autre, tel sujet plutôt que tel autre, pour le plaisir des yeux et la satisfaction du travail bien fait!

Table des matières

Achevé d'imprimer sur les presses de

L'IMPRIMERIE ELECTRA*
*Division de l'A.D.P. Inc.

pour

LES ÉDITIONS DE L'HOMME*
*Division de Sogides Ltée

Imprimé au Canada/Printed in Canada

LES ÉDITIONS
DE L'HOMME

DES LIVRES DONT TOUT
LE MONDE SE SERT

Disponible chez le
même éditeur

PSYCHOLOGIE DE L'ENFANCE

Vivre avec sa tête ou avec son coeur
par Lucien Auger

Préparez votre enfant à l'école
par Louise Doyon-Richard

Le développement psychomoteur du bébé
par Didier Calvet

Découvrez votre enfant par ses jeux
par Didier Calvet

Aidez votre enfant à lire et à écrire
par Louise Doyon-Richard

En attendant notre enfant
par Yvette Pratte-Marchessault

Les douze premiers mois de mon enfant
par Frank Caplan

Jouons avec les lettres
par Louise Doyon-Richard

Aidez son enfant en maternelle
par Louise Pedneault-Pontbriand

Une naissance apprivoisée
par Edith Fournier et Michel Moreau

Encycl. de la santé de l'enfant
par Richard L. Feinbloom

PSYCHOLOGIE

S'aider soi-même
par Lucien Auger

L'amour
par Lucien Auger

Se comprendre soi-même
par Collaboration

DIVERTISSEMENTS

DIVERTISSEMENTS

La danse disco
par Jack Villari & Kathleen Sims Villari

Aïkido
par M.N.D. Villadorata & P. Grisard

Techniques du tennis
par Ellwanger

Le programme XBX pour être en forme
par l'Aviation Royale du Canada

Les noeuds (pratiques et décoratifs)
par Georges Russel Shaw

Le karaté Sankukai
par Me Yoshinao Nanbu

Le jogging
par Richard Chevalier

Sport-santé et nutrition
par Dr Jean-Paul Ostiguy

Les armes de chasse
par Charles Petit-Martinon

Yoga sexe
par S. Piuze & Dr L. Gendron

Le guide du self-défense
par Louis Arpin

Le conditionnement physique
par Chevalier-Laferrière-Bergeron

La guitare
par Peter Collins

Exercices pour toi et moi
par Joanne Dussault-Corbeil

Ovni
par Yurko Bondarchuk

Manuel de pilotage
par L'Aviation Royale du Canada

ART CULINAIRE

Les techniques culinaires
par Soeur Berthe

Le poulet à toutes les sauces
par Monique de Vosjoli

La congélation des aliments
par Suzanne Lapointe

Les conserves
par Soeur Berthe

Fondues et flambées
par Maman Lapointe

La cuisine micro-ondes
par Jehane Benoit

Régimes pour maigrir
par Marie-Josée Beaudoin

Comment nourrir son enfant
par Louise Lambert Lagacé, diététiste

Menu de santé
par Louise Lambert Lagacé, diététiste

L'art de la cuisine chinoise
par Stella Chan

LE COUPLE:
SANTÉ, SEXUALITÉ

En forme après 50 ans
par Trude Sekely

La femme enceinte et la sexualité
par Elizabeth Bing & Libby Colman

Le sexe au féminin
par Carmen Kerr

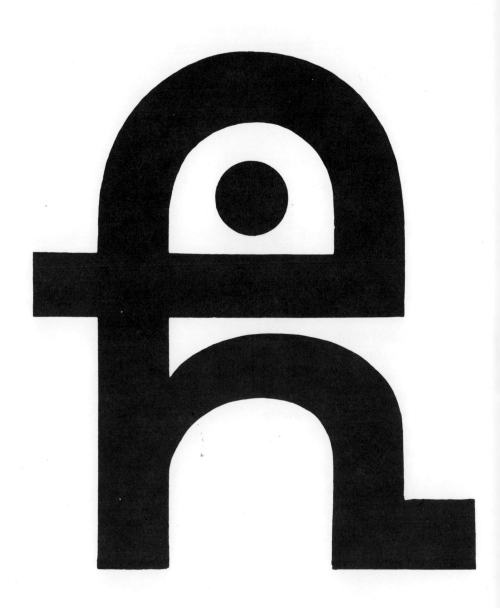